LINDA.
HET OPVOEDBOEK

LINDA.
HET OPVOEDBOEK

Tuchtigen die kinderen

NW A'DAM

Uitgeverij Nieuw Amsterdam
Jan Luijkenstraat 16
1017 CN Amsterdam, Nederland

Omslagfoto Dirk Kikstra
Art-direction Monique Bleeker
Vormgeving Willemijn Loman/Studio Room
Productie & samenstelling Doreen Maijoor & Margot Jamnisek
Tekstredactie Els Rozenbroek
Hoofdredactie Linda de Mol & Jildou van der Bijl

NUR 400 Non-fictie algemeen
ISBN 978 90 468 1379 9

www.lindamagazine.nl
www.nieuwamsterdam.nl/lindahetopvoedboek

INH OUDS OP GAVE

VOORWOORD

ER WAS EENS EEN ZAADJE EN EEN EITJE

11   Een schop onder je kont kun je krijgen SASKIA NOORT

17   Wil jij soms putjesschepper worden? SYLVIA WITTEMAN

23   Nooit meer slapen DAPHNE HUINEMAN

30   En nu mijn bed uit SYLVIA WITTEMAN

SCHOOLTJE, BOOMPJE, BEESTJE

39   De juf komt bij mij thuis toch ook niet stofzuigen? SYLVIA WITTEMAN

45   Vader slaat juf JOSSINE MODDERMAN

50   De leukste moeder van het land SYLVIA WITTEMAN

55   Daar komt tijgermama ELS ROZENBROEK

DOODKNUFFELEN & KAPOT VERWENNEN

65   Ga van dat kind af DAPHNE HUINEMAN

71   Krijg ik op oma's begrafenis ook een cadeautje?
     JOLANDA AAN DE STEGGE

76   Een beetje minder liefde s.v.p. JOLANDA AAN DE STEGGE

81   Kom maar bij mammie DAPHNE HUINEMAN

87   Eet je bord leeg SYLVIA WITTEMAN

BUITENBEENTJES, WIJSNEUSJES & DWARSLIGGERTJES

95   Of mama even bij de juf wil komen DAPHNE HUINEMAN

101 Ach, wat zielig ELS ROZENBROEK

106 Pesten. Het slachtoffer is de pineut DAPHNE HUINEMAN

VADERTJE & MOEDERTJE

115 Kibbelen om de pindakaas CORINE KOOLE
121 Vader werkt liever ELS ROZENBROEK
126 Maar we houden nog wel van jullie MARGOT JAMNISEK
132 Stief, back off MARGOT JAMNISEK EN ELS ROZENBROEK

SEX, DRUGS & ROCK-'N-ROLL

139 Schuren op Red Bull RENÉE LAMBOO
144 Wiet is shit ELS ROZENBROEK
150 Ja, je puber kijkt porno MARLEEN JANSSEN

DOE EENS NORMAAL, SCHAT

159 Het zit op de bank en het zapt LIESBETH WYTZES
165 En nu mijn huis uit DAPHNE HUINEMAN
172 Pijpsletje 4ever DAPHNE HUINEMAN
178 Net zo slank als mijn moeder JOSÉ ROZENBROEK

HET SPIJT ME

187 Mama zegt sorry SASKIA NOORT

VOOR WO ORD

Tuchtigen, die kinderen. Dat zou zomaar eens het motto kunnen zijn van dit boek. Want zeg nou zelf: verwende aapjes voeden we op, die tot hun twaalfde bij papa en mama in bed slapen, eindeloos om glaasjes cola zeuren en de juf, de buurvrouw én de kinderpsycholoog terroriseren met hun gedrein, geschreeuw en geschop. Moesten onze nakomelingen vroeger vooral hun mond houden aan tafel, tegenwoordig mogen ze het hele restaurant op stelten zetten terwijl hun trotse ouders vertederd toekijken. Ach gossie, wat zijn ze leuk en lief, die schatten van ons. En kijk ze eens hoogbegaafd/creatief/spontaan zijn.

Tuchtigen, die ouders. Dat zou óók het motto van dit boek kunnen zijn. Want hoe halen we het in ons hoofd onze kinderen te pamperen tot ze scheelzien. We houden ze eindeloos aan de borst, smeren hun boterhammetjes tot ze twintig zijn, organiseren verjaardagsfeesten die drie dagen duren en overstelpen ze met cadeaus. We zijn luizen- en knutselmoeder, maken hun werkstukken en staan altijd klaar als privéchauffeur.

Nee, misschien moet dit boek als motto krijgen: doe effe normaal zeg. Als we nou eens ophielden met koesteren en tutten, de schooldirecteur lastigvallen en ons zorgen maken om niks, dan zou het resultaat wel eens kunnen zijn dat kinderen weer zwijgen als volwassenen aan het woord zijn, de tafel van zeven leren, lekker buiten spelen en op tijd naar bed gaan. Heel normaal en nog gezond ook.

7

ER WAS
EENS EEN
ZAADJE EN
EEN EITJE

1 EEN SCHOP ONDER JE KONT KUN JE KRIJGEN **2** WIL JIJ SOMS
PUTJESSCHEPPER WORDEN? **3** NOOIT MEER SLAPEN **4** EN NU MIJN BED UIT

EEN SCHOP ONDER JE KONT KUN JE KRIJGEN

Naar de kelder met krijsende kleuters en straffen, die bijdehante pubers. Laten we het recht in eigen hand nemen en de samenleving verlossen van een generatie onopgevoede, narcistische sociopaten. **DOOR SASKIA NOORT**

Overal zijn ze. Drabbers van peuters en kleuters die de macht lijken te hebben overgenomen. In het vliegtuig, in de kroeg, op feesten en partijen, op de werkvloer en zelfs in de kerk, bij de doop van een klein prinsesje, lopen ze je voor de voeten met hun brutale, zelfgenoegzame smoeltjes. De drabbers, zij leren niets meer op eigen kracht. Hun luiers blijven wekenlang droog, hun monden worden op verzoek gevuld, hun oren horen uitsluitend vertederd gelispel, en hun wangedrag wordt met een Mona Lisa-glimlach gadegeslagen. Negatief gedrag dienen we tenslotte te negeren, leren we van de opvoedmaffia en inderdaad, dat lukt de meeste ouders aardig. Echter, wanneer de drabber twaalf is en mede dankzij liters Fristi en borden vol stamppot en hormoonvlees met kop en schouders boven paps en mams uitsteekt, en op een dag het tuinmeubilair verdwijnt in een door zoonlief gemaakt vreugdevuur, wordt het negeren van negatief gedrag een stuk moeilijker. Maar dan is het te laat.

De ellende begint al bij de bevalling. Alles is erop gericht de baby zo weinig mogelijk te laten lijden onder dit traumatische gebeuren. Dat daar tegenover staat dat de moeder heel veel lijdt, doet er niet toe. Het kind, dat waarschijnlijk een tienponder is, dankzij de liters havermoutpap die jij gedurende de zwangerschap hebt gegeten en de rust die je hebt genomen, dient tergend langzaam, op 'eigen' tempo, zijn weg door het geboortekanaal te vinden en *who cares* dat dit geboortekanaal nu toevallig net jouw onderlichaam is? Pijn moet het doen, want zonder pijn

11

hecht je je niet aan het vijf kilo wegende wurm dat je vaginawand zo uit-lubbert dat je een grootverbruiker van Depend zult worden, om over andere intieme kwalen maar te zwijgen. Fietsen zal nooit meer hetzelfde zijn en fietsen dat zul je moeten doen, dagelijks, door weer en wind, op een bakfiets waarin je megababy als een vorst op zijn troon zit, beschermd tegen zon en regen, voortgeduwd door jou, ploetermoeder, van babyzingen naar babymassage naar babyzwemmen.

Maar goed, daar zijn we nog niet. Je megababy ligt op je borst, hapt naar je tepel en bijt zich gulzig vast terwijl de vroedvrouw je van onderen weer aan elkaar naait. Welnee, daar is helemaal geen verdoving voor nodig! Dat gebied is toch helemaal verdoofd door het baren en bovendien, je ligt toch te genieten van de eerste borstvoeding? Nou dan!

Als de vroedvrouw het pand verlaat en je achterlaat met de nieuwe dictator, die je maar lekker bij je in bed moet nemen, komt de eerste horde kraamvisite, de ware ramptoeristen, die bloed en moederkoek willen zien en tranen natuurlijk. Tranen die zij zullen interpreteren als tranen van geluk, niet van pijnlijke naweeën. Je partner is wat bleekjes om de neus, mede omdat hij die magnum Moët al soldaat heeft gemaakt en de kraamhulp gaat op huis aan, want zij mag de eerste nacht slechts anderhalf uur zorg verlenen. De horde is wel toe aan een bakkie leut, én beschuit met muisjes natuurlijk en na het toewerpen van twaalf teddyberen begeven ze zich een verdieping lager, naar de keuken waar het bier staat en er gerookt mag worden. En daar lig je dan, alleen, met het felbegeerde kind, dat zachtjes begint te huilen. En je weet niet wat te doen, want niks mag. De baby kan misselijk zijn van de bevalling, en dus kun je hem maar beter rustig laten liggen. Liggen op zijn ruggetje, niet op de buik, want dan kan hij stikken. Het hoofdje moet om de paar uur op een andere kant gelegd worden, anders krijgt hij een scheef gezicht. En o ja, het stompje van de navelstreng kan gaan bloeden. Neem hem maar niet bij je in bed, want dan kan hij oververhit raken. Ach welnee, neem hem maar lekker bij je in bed, dat is goed voor de moeder-kindbinding.

Vanuit de keuken klinkt bulderend gelach. Dat zou je ook wel willen, weer eens bulderend lachen. En een biertje drinken. Lekker sigaretje erbij. Zondige, slechte verlangens. Je weet dondersgoed dat roken en drinken er de eerstkomende twintig jaar niet inzit. Vanaf de dag dat je je hebt laten bevruchten, mag er nog maar bitter weinig en moet er des te meer.

De volgende dag verschijnen moeder en schoonmoeder hoofdschuddend aan je bed. Ze zien een wanhopig hoopje vrouw liggen met een tevreden zuigend kleinkind aan de borst en ze vinden beiden dat je het niet goed doet. Maar dat zeggen ze niet. Ze zeggen dat baby's vroeger gewoon op hun eigen kamertje lagen en slechts vier keer per dag gevoed werden. 'Gut meid, als jij lag te huilen, legden we je in de kinderwagen, en zetten we je in de schuur', zegt je moeder, en hoezeer deze oplossing jou ook wel wat lijkt, je weet dat je hiervoor heden ten dage publiekelijk gelyncht zal worden door collega-moeders. Nee hoor, jij doet het anders. Jij doet het zoals het moet van Beatrijs Smulders. Je wikkelt je baby in een doek en bindt hem op je lichaam. Je geeft hem onbeperkt toegang tot de tiet en je eet uitsluitend nog gekookte snijbonen en gestoomde kipfilet, het Bergen-Belsendieet ter voorkoming van darmkrampjes bij de baby, hoewel hij evengoed darmkrampjes heeft, en daarom sta je de hele dag met je lichaam heen en weer te zwaaien, het kind stevig tegen je aan gebonden, nekhernia negerend, waar jij steeds magerder wordt, wordt de baby steeds vetter, hoewel zij van het consultatiebureau denkt dat hij toch niet genoeg voeding krijgt, gezien zijn vele huilen. Dat jij ook veel huilt, doet er niet toe. Dat zijn kraamtranen, die horen erbij. Heugelijk nieuws is wel dat je gerust weer sex mag hebben. Net waar je zin in had.

En zo begint de ellende die modern ouderschap heet, waarin Het Kind centraal staat en moeder in de verdomhoek. Steeds meer boeken en bladen verschijnen er, om de ouder uit de drup te helpen, met allemaal prachtige opvoedkundige adviezen, waar we geen klap mee opschieten, omdat ze allemaal op hetzelfde neerkomen: ontzie het kind. Beloon het positieve, negeer het negatieve. En kinderen zijn slim. Ze weten dondersgoed hoe ze ons moeten manipuleren, vanaf de dag dat ze naast je in het kraambed liggen. En onze moeders en oma's hadden dat goed begrepen. Voor hen was het voortplanten ook geen lang gekoesterde droomwens, maar noodlot, zoals zijzelf ook waren en alle mensen voor hen. En dat leverde een stuk bescheidener menssoort op dan wat wij nu op deze aardkloot zetten.

Waarom besluiten we dan niet met zijn allen om weer naar onze moeders te luisteren, in plaats van naar televisienanny's en Beatrijs Smulders? Het zou een mooi reality-programma opleveren. Heropvoeding van Oma. Baby's weer terug naar het sobere witte kamertje. Weg met al die mobiles, rammelballen, Piekaboes, muziekberen, Nijntje-wandschilderingen, Porsche-wiegjes, Kabouter Plop-gordijnen en wiekende zwanen, en terug naar rust en reinheid. Laat maar huilen, daar groeien de longetjes van. In ziekenhuis Rijnstate te Arnhem hebben proeven in een speciale polikliniek voor huilbaby's reeds bewezen dat de terugkeer van de drie R'en werkt. 30.000 huilbaby's zijn daar jaarlijks bij gebaat, om nog maar te zwijgen over 30.000 moeders. (En vaders, maar die blijken alleen maar meer te gaan werken na de geboorte van hun eerste kind, dus zij tellen niet mee.) Geen Maxi-Cosi meer gezellig op tafel bij het eten, geen permanent gelurk aan je oververmoeide, ontstoken borst, geen nachtelijke rijpartijen over de rotonde meer, niet meer de hele dag stofzuigen met de kraan open om het kind het zwijgen op te leggen, wat een rust moet dat geven. Om nog maar te zwijgen over het milieu, dat gebukt gaat onder modern ouderschap. Want Pampers kopen we natuurlijk ook niet meer. Een jaartje katoenen luiers en de luieruitslag maakt je kind zó zindelijk.

Een andere zeer werkzame opvoedmethode van Oma is het Eten Wat de Pot Schaft. In een ouderwetse kinderstoel zonder speelstuur voeren we het kind hetzelfde eten als je voor jezelf had bedacht, uiteraard in gepureerde vorm. Natuurlijk kun je het eetmoment opleuken met het imiteren van een trein, vliegtuig of Dombo de vliegende olifant, maar sla in geen geval door. Er zijn ouders die samen complete Teletubbie-afleveringen naspelen teneinde één hap macaroni bij hun nazaat naar binnen te krijgen.

Waar Oma vooral voor zal pleiten, is het herinvoeren van de pedagogische tik. Met het verbod op dit uiterst noodzakelijke wapen in de strijd die opvoeden heet, heeft de overheid ouders vogelvrij en monddood gemaakt. We mogen onze kinderen niet meer tuchtigen, maar moeten straks wel voor de rechter verantwoording afleggen voor hun gedrag, als ze volledig ontspoord zijn. Wij mogen de boetes betalen en verdwijnen misschien wel achter tralies om de schuld van ons kind te dragen. En we weten allemaal, ergens in ons achterhoofd, dat de pedagogische tik het enige is wat werkt bij wangedrag. We kunnen ons allemaal nog voor de geest halen hoe dat voelde, de oorvijg, de punter onder je hol, de draai om je oren. Alleen al de dreiging ervan weerhield ons van doorzeuren, janken, jatten, kliederen, met vuile schoenen naar binnen lopen, jas op school laten hangen, als ook de televisie op een andere zender te zetten, een brutale mond te hebben, moeder een kutwijf te noemen, vader een loser, op de bank te hangen, te lang aan de telefoon te zitten, getver te roepen bij het opdienen van de avondmaaltijd, stiekem in bed te lezen, de koektrommel leeg te eten, iedere week een lekke band te hebben, te fietsen zonder licht, de wc niet door te trekken, te spijbelen, de schuur in de fik te steken, de fles wodka van papa leeg te drinken met vrienden, een telefoonrekening te hebben van 800 euro, alle kranten van de krantenwijk achter de heg te flikkeren, geld uit ons moeders portemonnee te pakken, jongens te pijpen voor een breezer en in te loggen met de creditcard van paps op internetsekssites. Ja, daar schrik je misschien van, maar dat gaat jouw tienpondige huilbaby die je borsten heeft doen slinken tot theezakjes allemaal doen als je niet op tijd begint met paal en perk stellen aan zijn macht over jou.

Het hedendaagse opvoeden, waarin we met onze kinderen praten en met ze onderhandelen in de veronderstelling dat kinderen net zo voor rede vatbaar zijn als volwassenen, blijkt niet te werken. Uit onderzoek van het maandblad voor ouders, *J/M Magazine*, blijkt dat ouders van nu zelf pleiten voor strenger opvoeden. Ruim driekwart van de ouders ergert zich aan andermans kinderen. Ze zijn brutaal, asociaal, stiekem en ongehoorzaam. De tijd is aangebroken om de ouderwetse oplawaai weer in ere te herstellen. Weg met krijsende, bijtende en krabbende peuters, naar de kelder met hysterische patat eisende kleuters, in de houtgreep die hyperactieve schoolkinderen en vooral tuchtigen die verwende, bijdehante rotpubers. Laten wij ouders het recht weer in eigen hand nemen en de samenleving verlossen van hele generaties onopgevoede, narcistische sociopaten. Wat zal dat bij ons een hoop maagzweren, depressies, alcoholproblemen en zelfs scheidingen schelen. De deuren van de kinderkamers gaan hupsakee weer op slot. Wie zijn bord niet leegeet, blijft maar zitten tot het wel leeg is. En zo niet, hatsiekadee de volgende avond hetzelfde bord weer voor zijn neus zetten. Koud welteverstaan. Word je uitgemaakt voor kankerwijf of fatso? Een schop kan hij krijgen, onder zijn achterste, bonjour hem zijn kamer in, trek de kabel uit zijn tv en computer en hij mag pas weer beneden komen als hij het complete oeuvre van Vestdijk heeft gelezen. Gillende stampvoettaferelen bij het snoeprek van de supermarkt? De ouderwetse oplawaai helpt altijd. Kind stil, moeder opgelucht, drama opgelost. Niet soebatten scheelt zeeën van tijd. Wil het thuis niet één snoepje, niet twee snoepjes, maar de hele zak? Eet dan onder zijn ogen alles op en zeg: 'Hou op met janken, anders geef ik je zo'n lel dat je echt iets hebt om over te janken!' Heerlijk, die bevrijdende werking van duidelijkheid.

Hoezo, verwerpelijk? Uit een Amerikaans onderzoek van de Universiteit van Californië blijkt dat kinderen die op jongere leeftijd af en toe een tik krijgen, daar later geen schade van ondervinden. Het bleek juist dat kinderen die in de voorschoolse leeftijd nooit een tik krijgen, op latere leeftijd iets minder goed sociaal aangepast zijn. Andere opvoedingsmethoden als huisarrest, belachelijk maken en vernederen bleken veel traumatischer effect te hebben. Mijn eigen zoon, die met grote regelmaat huisarrest uitzit op zijn kamer, vroeg laatst zelf of hij niet kon kiezen voor een pak slaag. Dan ben ik er tenminste van af, zo redeneerde hij. Hij heeft gelijk. Het mag dan ook nooit zo ver komen dat kinderen hun ouders kunnen aangeven op de bewezen meest effectieve opvoedmethode, hetgeen nu al met grote regelmaat gebeurt. Kinderen geven massaal hun vader of moeder aan bij de politie omdat ze mishandeld zouden zijn. Met de nieuwe wet in de hand, waarbij de zogenaamde geweldenaar onmiddellijk ingerekend wordt en pas daarna de kans krijgt om het tegendeel te bewijzen, kunnen onze kinderen ons met één telefoontje een nacht op laten sluiten. Zo ver is het al gekomen.

WIL JIJ SOMS PUTJES-SCHEPPER WORDEN?

Pientere Pietje, dove Anna, dikke Otto en slome Fransje – ooit waren kinderen met een foutje doodnormaal. Een duik in de wereld van maakbare kinderen, veeleisende ouders, verbaasde artsen en getergde juffen.

DOOR SYLVIA WITTEMAN

Tot voor kort viel er niet zo veel te kiezen. Je kreeg kinderen en moest maar hopen dat het er niet al te veel werden. Of je had pech en kreeg ze niet. Tijdens de zwangerschap at je voor twee. En je deed er goed aan niet naar mismaakte mensen te kijken, want dan kon de baby er wel eens net zo uit gaan zien. Verder moest je er maar het beste van hopen. Een jongen of een meisje, een tweeling of een miskraam, een gezond kind of een kneusje? De tijd zou het leren. In menig rooms gezin werd de rij kroost afgesloten met wat toen nog een mongooltje heette. Moeders handenbindertje. Wat deed je eraan? Het hoorde erbij. Net als pientere Pietje, dove Anna, dikke Otto en slome Fransje.

Een kind met een 'foutje' komt tegenwoordig steeds minder voor. Een hazenlip is te herstellen, scheve tanden worden rechtgezet en flaporen zie je nauwelijks meer. Ilse (10) heeft ze nog wel, en dat ziet er heel ontroerend uit. Maar haar moeder heeft besloten ze binnenkort toch maar te laten opereren. 'Anders krijg ik later het verwijt: "Waarom heb je me daarmee rond laten lopen?" En ach, het is in een uurtje gepiept.' Maar ook ingrijpender operaties worden langzamerhand steeds gangbaarder, van het meisje dat een keurig neusje voor haar zestiende verjaardag cadeau krijgt tot de mogelijkheid om een kind met downsyndroom 'normale' gelaatstrekken te bezorgen.

Jonas van de Lande, gynaecoloog in het VU medisch centrum Amsterdam: 'Vrouwen worden tegenwoordig heel bewust zwanger. Ze willen vaak maar één, hoogstens twee kinderen. En dat kind moet volmaakt zijn, een handicap is uit den boze.' Door de steeds betere prenatale diagnostiek zijn veel ernstige afwijkingen al tijdens de zwangerschap op te sporen. De negatieve uitslag van zo'n onderzoek is niet alleen heel verdrietig, maar kan de ouders ook erg onder druk zetten. Van de Lande: 'Als uit een punctie blijkt dat het kind een ernstige afwijking heeft, en de moeder besluit het kind toch te houden, dan wordt ze door de omgeving vaak met de nek aangekeken. Men zegt dan: "Je wist het toch? Je had het toch kunnen voorkomen?"'

Ook de bevalling is maakbaar geworden. Van de Lande: 'Veel vrouwen worden steeds veeleisender en accepteren steeds minder. Ze willen hun hele leven plannen, ook hun bevalling. Ze willen van tevoren weten wanneer ze gaan bevallen en ze willen de garantie dat de bevalling wordt ingeleid als het kind niet op tijd komt. Laatst kwam er zelfs iemand met een *Birthplan*, een geboorteplan waarin het verloop van de bevalling punt voor punt was vastgelegd. Precies wanneer, hoe en door wie de navelstreng doorgeknipt moest worden, bijvoorbeeld. Je voelt je dan als arts wel onder druk gezet.'

Tanya had op haar 37ste na lang beraad besloten dat ze een kind wilde. Ze stopte met de pil, maar twee jaar later was ze nog steeds niet zwanger. Ze berekende precies haar vruchtbare dagen en bracht die met haar man in bed door. Klussen noemde ze dat. Toen ook het klussen niet hielp, kwamen de onderzoeken, de hormoonbehandelingen en reageerbuisjes. Tanya leefde in voortdurende spanning en was doodsbang iets verkeerd te doen. Ze slikte dagelijks vitaminetabletten voor zwangere vrouwen, dronk geen koffie en geen druppel wijn. Ook haar man mocht niet meer drinken, en toen hij een keer op een feestje een trekje nam van een passerende joint, maakte ze een geweldige scène. Ze gaf haar dagelijkse kopjes thee op (cafeïne!) en at absurde hoeveelheden fruit. Ze wilde, zoals ze zelf zei, haar lichaam optimaal voorbereiden op de komende zwangerschap. En inderdaad, bij de vierde ivf-poging was het raak. Natuurlijk was ze blij, maar vooral bezorgd. Ze durfde haast niets meer te eten. Mag salami? Rookvlees? Brie? Een zacht eitje? Van de weeromstuit at ze alleen nog maar pindakaas op haar brood. Tot ze ergens las dat de baby daardoor een pinda-allergie zou kunnen krijgen. Bij de tandarts onderging ze een pijnlijke behandeling, al verzekerde de tandarts haar dat een verdoving beslist geen kwaad kon. En om de geruchten over de schadelijkheid van kaneel moest ze wel lachen, maar ze at toch voor de zekerheid geen speculaasjes en stroopwafels meer.

Ik weet maar al te goed dat Tanya geen uitzondering is. Zo heb ik een zwangere vriendin die de magnetron niet meer durft te gebruiken uit angst voor straling. Een andere vriendin stak een vinger in haar keel toen ze per ongeluk een rumboon had gegeten. Een derde durfde bij mij aan tafel niet te eten van de paté (lever!) stoofpot (wijn!) en kaas (listeria!). Ze at wel heel veel sla. Des te grappiger was het dat een Parijse vriendin vertelde dat in Frankrijk tijdens de zwangerschap het eten van sla wordt afgeraden. Een glaasje wijn is in Frankrijk daarentegen geen enkel probleem. Zouden die foetussen nou weten in welk land ze wonen?

Van de Lande: 'Grote hoeveelheden alcohol, of dagelijks alcohol drinken is schadelijk. Maar af en toe een glas wijn kan geen kwaad. Voor die kazen geldt dat alleen zachte kaas van ongepasteuriseerde melk de listeriabacterie kan bevatten. Alle andere kazen zijn volstrekt ongevaarlijk. En zeventig procent van de bevolking is ooit al met toxoplasmose besmet geweest, dus de kans op herbesmetting is nihil.'

Je moet trouwens echt héél goed zoeken voor je zo'n zacht, rauwmelks kaasje vindt. De meeste supermarkten verkopen zoiets niet eens. En er is al geen enkele reden om brie, Boursin of feta te laten staan.

Zelf net zwanger van de derde zat ik met de inmiddels hoogzwangere Tanya op een terrasje en bestelde een glas wijn. 'Je gaat toch geen alcohol drinken?' schreeuwde ze verbijsterd. 'Weet je wel wat je je baby aandoet? Je kunt toch je hele leven nog zuipen, kun je je die negen maanden dan niet even beheersen?' Zo ging ze nog een tijdje door. Het zou mijn eigen schuld zijn als ik een kind met een hersenbeschadiging kreeg en ze begreep niet hoe ik mijn eigen baby zoiets aan kon doen. 'Maar mijn andere kinderen zijn toch ook gezond?' wierp ik tegen. 'Toen heb ik ook wijn gedronken, en koffie. Het heeft geen zin om overal bang voor te zijn. Over een jaar ontdekken ze misschien dat je een miskraam kunt krijgen van andijvie, weet jij veel... je kunt toch niet alles uitsluiten?' Tanya kwam nu pas goed op dreef. 'O, en dan moet je dus alle risico's maar nemen? Ook die wél bekend zijn? Dan moet je het zelf maar weten. Als er iets mis is met de baby is dat je eigen schuld.' Maar hoe groot is de kans nu eigenlijk dat er iets misgaat met een baby omdat de aanstaande moeder iets verkeerds eet of drinkt? Van de Lande: 'Die kans is zo klein dat het niet eens in een getal is uit te drukken.'

Tanya had een heel zware bevalling en wat er precies misging is nog steeds niet duidelijk. Haar dochtertje Floortje is aan één kant licht verlamd. Gelukkig niet heel ernstig: met fysiotherapie zal ze heel behoorlijk leren lopen en praten. Bovendien is het een schatje. Maar Tanya liet het er niet bij zitten. Ze stelde het ziekenhuis aansprakelijk voor Floortjes problemen en beet zich vast in eindeloze juridische procedures. Uiteindelijk bleken er geen medische fouten gemaakt te zijn. Floortje heeft gewoon een beetje pech gehad. Maar pech is een woord dat in Tanya's woordenboek niet voorkomt; ze kan niet accepteren dat haar baby niet volmaakt is. Van de Lande: 'Er bestaat een grenzeloos vertrouwen in de medische wetenschap. Er kan steeds meer, dus we willen steeds meer. Maar artsen zijn ook maar mensen en er gaat weleens iets fout. Omdat er zo veel maakbaar is geworden in de maatschappij, kunnen mensen niet meer leven met doodgewone pech.'

Sabine was altijd een leuke meid. Overdag een veeleisende baan als jurist, 's avonds een feestbeest: je kon enorm met haar lachen en nachten doorzakken; ze leefde van chardonnay, shoarma en af en toe een lijntje coke. Ze was altijd best aardig voor kinderen van vrienden ('Dag schat! Haal jij even een asbak voor tante Sabine?'), maar maakte zelf geen aanstalten zich voort te planten. Toen ze al tegen de veertig liep, werd ze min of meer per ongeluk zwanger. Als bij toverslag veranderde ook Sabine in een tuttebel eerste klas. Ze wilde geen café meer in, at de hele dag biologisch geteelde wortels en kookte mistroostige broccoliprutjes voor over de volkorenmacaroni. Elk vrij moment lag ze op de bank in *Het Grote Wonder* te bladeren. Haar verbaasde vriend moest mee naar zwangerschapshaptonomie en thuis alle deuren en kozijnen overschilderen met niet-giftige verf. Het was natuurlijk jammer dat haar geplande thuisbevalling-bij-kaarslicht uitliep op een spoedkeizersnee, maar daar was hij dan: de kleine Tijmen. Sabine was in de wolken en wilde van alles het beste. Toen ze na zes maanden besloot weer te gaan werken, zette ze de volgende advertentie in de krant: 'Voor mijn fantastische zoon (zes maanden) zoek ik een fantastische oppas, die hem begeleidt, stimuleert en uitdaagt om wat moois van het leven te maken. Ben je een niet-rookster, creatief, liefst tweetalig en van academisch niveau? Reageer dan onder nr ...'

Er kwamen heel wat reacties, maar Sabines droomoppas was er niet bij. Daarom besloot Sabine haar eigen carrière voorlopig op een zijspoor te zetten. Ze ging met hem op babyzwemmen, moeder-en-kind-massage, en elk moment dat Tijmen niet sliep speelde ze met het jongetje, las ze boekjes voor en draaide ze babymuziek. Tijmen is nu zes en een heel gewoon, aardig kind. Hij kan mooi tekenen en is goed in gymnastiek. Maar het leren lezen wil niet zo vlotten, en hij is ook wat aan de drukke kant. Toen zijn onderwijzeres voorzichtig begon over 'misschien een jaartje overdoen', vond Sabine dat onacceptabel.

Stefanie Dolan, peuterjuf aan de Haagse Galvanischool, wordt elke dag geconfronteerd met ambitieuze ouders: 'Je ziet al op de peuterspeelzaal hoe sommige kinderen gepusht worden. Ze moeten leren lezen als ze drie zijn, piepjong op zwemmen, ballet en muziek. Ouders prijzen en pushen hun kinderen de hemel in. En als er problemen zijn, lopen ze meteen op hoge poten naar de directeur.'

Sabine is intussen al heel wat keren bij de directeur geweest. Tijmen is hoogbegaafd, zegt ze, maar de school pakt hem verkeerd aan. Daardoor heeft hij faalangst en presteert hij niet optimaal. Sabine liet hem uitgebreid testen, maar ook dat hielp niet: Tijmen bleek zelfs een lichte ontwikkelingsachterstand te hebben. Sindsdien is Sabine in alle staten en probeert met man en macht haar zoon intellectueel te stimuleren. Na school zit ze eindeloos woordjes met hem te oefenen en sommetjes te maken. Ook kocht ze een piano. Tijmen vindt het een lollig ding: hij opent vaak de klep en kiepert er legosteentjes in. Of een beker melk. Dat lezen en rekenen na school vindt hij vervelend. Maar Sabine houdt vol en als Tijmen tegenstribbelt, zegt ze zogenaamd grappig: 'Wil jij soms putjesschepper worden?'

Waarom mag kleine Tijmen eigenlijk geen putjesschepper worden?

Putjes moeten ook geschept en je verdient als loodgieter tegenwoordig een royaal salaris. Een prima beroep dus. Dat vindt Sabine ook. Een prima beroep voor een kansarm kind. 'Maar niet voor het mijne.'

NOOIT MEER SLAPEN

Wanhopige ouders kampen met chronische vermoeidheid vanwege hun almaar huilende kinderen. 'Ik fantaseerde hoe ik hem met wipstoel en al door de kamer zou smijten.' **DOOR DAPHNE HUINEMAN**

Saskia Appel (39) slaapt in etappes zo'n vier uur per nacht. Al bijna vier jaar lang sinds de geboorte van haar eerste kind Jelle. Die huilde overdag veel, en 's nachts nog meer. 'Op het consultatiebureau zeiden ze: "Doe een ander flesje, of draai een nieuwe ring erop, koop eens speciale voeding, misschien zijn het krampjes." En de dokter zei telkens als ik wanhopig aan de lijn hing: "Baby's huilen nou eenmaal." Inmiddels had ik zeven weken nauwelijks geslapen. Dan kun je niet meer kritisch nadenken over dit soort onzinnige reacties. Verder piekerde ik 24/7 over Jelle: wat ís er nou toch met hem?

Jelles gehuil had z'n weerslag op alle aspecten van mijn leven. Mijn al even slapeloze man en ik hadden constant ruzie. Op mijn werk begrepen ze niet waarom ik zo moe en warrig was. "Het is gewoon een kwestie van opvoeding", zei mijn baas. En hup, daar ging ik weer aan het werk, in het weekend, terwijl ik mijn huilende kind had achtergelaten bij een oppas.

Het werd pijnlijk duidelijk wie mijn vriendinnen waren. Een van de verwijten die ik naar mijn hoofd kreeg geslingerd: waarom nam ik de telefoon niet op? Ze begrepen niet dat ik geen etentjes meer organiseerde en reageerden kribbig als ik vertelde hoe het thuis ging. "Het moet me toch een keer van het hart", zei een vriendin. "Je doet zo mopperig over het moeder zijn." Ja, wat wil je, als je al een half jaar niet slaapt. Zelfs dan werd ik blijkbaar nog geacht om leuk en fris te zijn. Twee keer mag je iets negatiefs zeggen, daarna ben je een zeurmoeder. De pijnlijkste ervaring

23

had ik met een van mijn beste vriendinnen. Zij en haar vriend ontweken me op een gegeven moment gewoon. Waarom wist ik niet. Op een dag kwam het eruit. Ze waren zelf met kinderen bezig geweest, maar nu was haar vriend gaan twijfelen omdat Jelle dag in, dag uit huilde. Ze hield hem zo veel mogelijk weg van ons, anders wilde hij straks misschien helemaal geen kinderen meer.

Na acht maanden kwam ik eindelijk bij de kinderarts terecht. Die onderzocht het kind niet eens, maar schreef meteen medicijnen voor tegen reflux. Jelles maagzuur vloeide terug in zijn slokdarm, daarom huilde hij zo veel.

Toen het eenmaal goed ging met Jelle en de mist was opgetrokken, ben ik ingestort. Ik was totaal afgesleten. Mijn kraamtijd was vernacheld, op mijn werk kreeg ik geen steun en vrienden zag ik amper nog.' Een postnatale depressie volgde.

Niet veel later werd het nog erger: Saskia was opnieuw zwanger en na een ingewikkelde zwangerschap werd Pip geboren. 'Pittig tantetje hoor', zei de zuster vergoelijkend over de baby die vijftien uur per dag doordringend krijste. De gebruikelijke deskundologen begonnen weer in koor over het belang van borstvoeding en eventuele krampjes. Daar gingen ze weer. Na een paar weken was Saskia zo wanhopig dat ze naar het dichtstbijzijnde ziekenhuis reed. 'Wat er toen gebeurde: ik kwam in de huilbabyhemel. Ik werd gerustgesteld dat we niet de enigen waren, en dat het allemaal goed zou komen. Vriendinnen reageerden weer vol onbegrip: "Vaag verhaal, hoor."'

In tienduizenden Nederlandse gezinnen is het muisstil. De stekker van de telefoon ligt er al maanden uit, de collectant van de Kankerbestrijding krijgt sissend de vreselijkste ziektes naar het hoofd geslingerd omdat zij het waagt aan te bellen. Ouders slapen om en om op zolder, ver van de onrusthaard.

Waarom gaat kindergehuil zo door merg en been? Waarom kunnen we ons er niet voor afsluiten, zoals voor de muzikale diarree in winkels? 'Allereerst omdat een baby echt hard schreeuwt', zegt Elizabeth Ebbink, stemtrainer en stemanalist. 'De eerste kreet van een baby heeft een toonhoogte van zo'n 440 hertz. Zó ongeveer.' Ze slaat een paar toetsen aan op de piano en zingt hard en hoog. 'Ongelooflijk genoeg zijn de stembanden van een pasgeborene maar drie millimeter lang, minstens vijf keer zo klein als die van een volwassene. Maar ze gebruiken de hele range van hun stem, brullen met open keel en mond en hebben een diepe buikademhaling.

Hoe we met gehuil omgaan, is ook cultureel bepaald. Wij vinden het zielig, maar in Japan horen gezonde baby's flink te gillen. Ze houden er zelfs competities om te zien welke baby het langst en hardst kan huilen. Voor een baby is de stem de belangrijkste manier om een verzorger te bereiken. Het is van levensbelang dat die hem hoort. In een slendang huilen baby's bijvoorbeeld minder dan in de wieg, omdat ze daar ook fysiek hun wensen kenbaar kunnen maken. Met hun handen of hoofd bijvoorbeeld.'

Een baby die huilt, dringt rechtstreeks door tot dat deel van de hersenen waar ons instinct zetelt. Borsten beginnen te lekken, emoties op te laaien, armen strekken zich uit en lippen tuiten zich in de sshhh-stand. Het vergt een bijna bovenmenselijke prestatie van het rationele deel van ons brein om de reactie in goede banen te leiden. Vandaar al die oordoppen.

Vijf jaar geleden gaf mijn dochter bij haar geboorte slechts een bescheiden oerkreetje, dat haar op de Apgar-score een minpunt opleverde. De volgende dag kwam er uit dit kleine lijfje echter een alles wegvagend geluid dat nog het beste te vergelijken was met de climax van de waanzinaria uit Donizetti's opera *Lucia di Lammermoor*. Hij duurde alleen wat langer, een uurtje of vier per dag. 'Een huilbaby!' riepen ze triomfantelijk op het 'consternatiebureau'. Ik had het niet meer, maar hield me groot. Moeders zijn namelijk grofweg te verdelen in drie onuitstaanbare categorieën: de door iedereen gemeden klaagmoeder, de kijk-mij-nou-lekker-dwars-tegen-de-roze-wolk-schoppen-moeder en de ergste: de opschepmoeder. 'Míjn kind slaapt nu al de hele nacht door.' 'Ik neem haar altijd mee naar de kroeg, ze slaapt overal doorheen.' 'Mijn baby heeft al een maand geen enkel geluid gemaakt.' Het lijkt wel of steeds meer mensen kinderen krijgen om er vervolgens nooit meer last van te hebben. Waarom gooi je dan niet gewoon een Baby Born in je wieg? Scheelt een hoop gedoe. De essentie van alle avonturen die je aangaat in het leven is toch dat je er vol induikt, met alle positieve en negatieve gevolgen van dien? Waarom krijgen moeders die eerlijk durven te zeggen dat het tegenvalt, vaak alleen maar wreedheid naar hun kop in de vorm van opmerkingen als: 'Je hebt er toch zelf voor gekozen?'

Tja, waarom kies je voor een opleiding en voor werk? Waarom neem je een vriend? Waarom heb je in godsnaam vriendinnen? Waarom zou je je huis verbouwen? Ik heb die vragen zelden gehoord. Voor veel moeders is het leven zwaar, laat ze klagen! En nee, niet iedereen heeft ouders die eens een dagje kunnen inspringen. Bijkomend nadeel van het late moederschap van tegenwoordig is namelijk dat de grootouders inmiddels ook verzorging behoeven. Trouwens, op begrip van ouders hoef je vaak ook niet te rekenen. Ze bedoelen het goed, maar er komt meestal niet meer uit dan: 'Huilen is goed voor de longetjes.' Als jij zo brulde, legden wij jou altijd in de keuken, en dan deden we de deur dicht', zei mijn moeder half triomfantelijk, half verontschuldigend toen ik weer eens een avond lang een ontroostbare baby op mijn arm had. Saskia Appel: 'Ik denk weleens dat de generatie van onze ouders zo verknipt is omdat ze zelf altijd zijn weggelegd. Als je van jongs af aan hebt geleerd dat er toch niemand komt als je hulp nodig hebt, waarom zou je je dan in een ander verdiepen?'

Als mijn baby niet kon slapen, ging ik weleens een stuk rijden. Dan werd ze rustig. Op een dag wilde mijn auto niet starten. Het duurde een behoorlijke tijd voor ik mijn verhaal had kunnen doen aan de telefonist van de Wegenwacht. Mijn krijsende misthoorn op de achterbank slaagde er minutenlang in om elke vorm van communicatie te frustreren. De man had slecht nieuws: 'Het is ontzettend druk in de Amsterdamse binnenstad. Er is een wachttijd van twee uur.' 'O', zei ik berustend; ik had geen puf om te protesteren. 'Mevrouw, vergeet wat ik heb gezegd', riep de man opeens uit. 'Ik kan het niet meer aanhoren, u bent in nood. Ik stuur NU iemand langs!' Binnen vijf minuten stond er een monteur voor mijn neus.

Annelieze Carspels (32) heeft een zoontje van tweeënhalf jaar dat nog steeds dag en nacht urenlang huilt. 'Als baby dreef Koos me al tot het uiterste. Als hij me weer eens een vernietigende blik toewierp tijdens zijn zoveelste krijsbui, fantaseerde ik hoe ik hem met wipstoel en al door de kamer zou smijten. Toch kon ik het de eerste maanden beter verdragen, dat gehuil. Misschien omdat hij behalve boos ook zo hulpeloos was. Maar nu, na jarenlang geen nacht te hebben doorgeslapen, kan ik het niet meer verdragen. Ik ben vooral murw. Als hij uitbarst, loop ik vaak de kamer uit. Weg van die eeuwig naar beneden wijzende mondhoeken. Weg van de tien minuten durende huilbui als zijn ketchup óp in plaats van naast zijn frites ligt. Het zal vast allemaal aan mij liggen, ik zal hem wel niet goed genoeg behandelen, maar ik ben inmiddels door al mijn reserves heen. Met een zak chips naar bed? Ik heb het weleens gedaan. Het werd een drama, want hij wilde er twee. Vreemd genoeg ben ik nu allergisch voor álle kindergehuil geworden. En ik zie dat ook bij andere ouders. Ze verdragen minder dan mensen zonder kinderen. Kijk maar eens in een vliegtuig als er een kind huilt. Daar is echt een waterscheiding tussen mensen met en zonder kinderen. Koos huilde een keer vreselijk hard, en alle moeders begonnen meteen venijnig te fluisteren, terwijl de kinderloze vrouw naast me zei: "Je hoeft geen sorry te zeggen hoor", en weer in haar boek dook. Zelf heb ik het met de oudere kinderen van mijn man. Die vliegen elkaar nogal eens in de haren, en dan is het ook vaak janken. Ik merk dat ik daar enorme wrevel bij voel, terwijl ik ze verder graag mag. Maar ik zit gewoon aan mijn huiltaks. Terwijl ik nog wel urenlang kan luisteren naar het gejammer van een ongelukkige vriendin. Maar daar hoort tenminste een smeuïg verhaal bij. Koos is onderzocht door artsen en psychologen, maar officieel heeft hij niets. Zelfs geen ADHD, autisme of allergie, waaraan iedereen tegenwoordig toch lijdt. Waarschijnlijk heeft hij gewoon een moeilijk karakter. En dat moet ik accepteren, maar dat vind ik bijna niet te doen. Ik had me het moederschap als vrolijk voorgesteld, maar het is de donkerste tijd uit mijn leven. En ik vermoed dat de komende jaren één en al ellende zullen blijven.'

Derek Ogilvie zal nu wel misprijzend snuiven dat we niet genoeg moeite doen om onze kinderen te begrijpen. Of de boze geesten uit hun kamertjes jagen. Hij heeft wel een punt: hoe meer positieve energie ik zelf overdag in mijn jongste kind steek, des te beter hij doorslaapt. Er is veel onderzoek dat bewijst dat kindergehuil op z'n minst met de ouders te maken heeft: gespannen of rokende moeders krijgen meer huilbaby's, zelfs depressieve vaders brengen het over. Er is gloednieuwe research over moeders die in de dagen na een keizersnede het gehuil van hun baby's minder goed herkennen dan moeders die op natuurlijke wijze zijn bevallen. En een overtuigende studie toont aan dat kinderen na een moeilijke tijd in de baarmoeder en/of een lastige geboorte, hoger en indringender huilen dan andere kinderen. Dus ja, wat is er eerder: de stresskip of het hysterische ei?

Feit is wel dat onze kinderen een drukker bestaan leiden dan wij vroeger, met crèches, restaurantbezoek en vliegreizen. En dan is er nog de enorme valkuil waar we met z'n allen in lopen: het leven, dus ook het opvoeden, móét almaar leuk zijn. Dat bevestigt Marre Hassing, kinderarts in het Tergooiziekenhuis in Blaricum: 'En als het dan allemaal niet lukt, zien ouders het huilen van hun kind vaak als falen van hun kant. Ze kunnen blijkbaar niet goed voor hun kind zorgen. Natuurlijk kunnen ze dat wél, maar een kind kan bijvoorbeeld extra gevoelig zijn voor prikkels.' Op de huilpoli van het ziekenhuis vangen Hassing en haar collega's jaarlijks vele wanhopige ouders op met excessief huilende baby's. In ongeveer een derde van de gevallen komt toch nog iets medisch naar boven, bij de rest is geen medische oorzaak voor het gehuil te vinden. Vaak is de baby zo doorgedraaid dat hij niet meer normaal kan reageren. Toch lukt het de artsen en verpleegkundigen eigenlijk altijd wel om een baby samen met de ouders weer in het gareel te krijgen. Als de situatie echt ernstig is, nemen ze de baby op, waar die in een half verduisterd kamertje een strak rustregime krijgt. Na een dag of vier gaat het dan vaak alweer beter met slapen en drinken. Zo ook bij de dochter van Saskia Appel: 'Na een week kregen we haar helemaal afgetraind terug, met een gebruiksaanwijzing erbij.' Hoewel Pip sindsdien kalm en zonnig is, slaapt Saskia nog steeds niet. Ze is compleet uit haar ritme.

Sinds kort doet de kinderafdeling in het Tergooiziekenhuis een pilot study met de huiltherapie van de Amerikaanse dr. Harvey Karp. Daarbij draait alles om een kind wegleggen in zijn bedje, maar niet nadat het op de juiste wijze is getroost. De vijf S'en zijn daarbij essentieel: *Swaddling* (inbakeren), *Side position* (zijligging om de darmen te helpen), *Shushing sounds* (sussen), *Swinging* (wiegen) en *Sucking* (zuigen). Kinderarts Marre Hassing: 'De eerste resultaten lijken gunstig. Hopelijk kunnen we het succes van de methode volgend jaar van de daken schreeuwen.'

Tot die tijd moeten ouders het vooral doen met hun netwerk. Maar als het om kinderen gaat, zijn de meest aimabele omstanders opeens wreed. Huilen is goed voor de longetjes en verder heb je zelf voor die kinderen gekozen, dus waarom moeten zij de shit oplossen? Ouders die vastlopen, hebben vaak geen familieleden bij de hand om de boel eens een paar dagen over te nemen. Jaar in, jaar uit moeten ze het allemaal alleen opknappen. Aangeven dat ze het niet meer aankunnen, maakt ze verdacht op hun werk en weinig geliefd in de vriendenkring.

Er zit voor ploetermoeders niets anders op dan het heft in eigen hand te nemen. Neem eens vakantie van je kind, en voel je voor één keer nou eens niet schuldig. Rust is een eerste levensbehoefte. Wie vijf nachten helemaal niet slaapt, is dood. Het is een absoluut wonder dat sommige moeders nog op de been zijn. Wissel kinderen eens een weekend uit met een lotgenoot, dan zie je één keer af (doe je toch al) en tank je een volgende keer bij. En waar zijn de gesubsidieerde weekendcrèches, kinderhotels en oppascentrales met dames die blijven slapen zodat wij even op krachten kunnen komen en er bij terugkomst met nieuwe energie tegenaan kunnen gaan? Dit scheelt enorm in ons ziekteverzuim en op de kosten van de gezondheidszorg. En kom op, afwezige opa's en oma's: het zij jullie vergeven dat jullie ons lange koude nachten in de keuken stalden en wij komen jullie later echt opzoeken in het verpleeghuis. Mits jullie onze kinderen af en toe een dag meenemen. Zodat we even kunnen slapen, voor zover we nog weten hoe dat moet.

EN NU MIJN BED UIT

Honderdduizenden kinderen slapen bij hun ouders in bed. 'Het valt niet mee om je seksleven te hervatten als er iemand kirrend ligt toe te kijken naar wat zich daar zoal verheft.' **DOOR SYLVIA WITTEMAN**

Voor mijn kinderen heb ik zowat alles over. Ze mogen best een beetje met een nagelschaartje in de zoom van de gordijnen knippen, heel hard gatverdamme roepen als ik een prachtig gevulde kalfsborst heb gebraden, met hun hand in hun broek glazig uit hun ogen kijken op het podium tijdens de groots opgezette schoolmusical, of hun scheten met een lucifer aansteken tijdens een barbecue in mijn achtertuin. Allemaal best. Maar ze mogen niet meer slapen in mijn bed. Echt niet.

Mijn eerste kind werd alweer ruim tien jaar geleden geboren. Een dochter. Ik had een schattig wiegje klaarstaan, helemaal opgemaakt volgens de regels van de kraamzorg, met een gloednieuw matrasje, want een gebruikt matras zou de kans op wiegendood kunnen verhogen. Had ik gelezen, en als een zwangere vrouw iets leest, hoe stompzinnig ook, is het wáár. Dat nieuwe matrasje had ik dan ook ruim van tevoren uit de verpakking gehaald 'zodat eventuele gevaarlijke stoffen eruit konden luchten', ik had een stapel slaapzakjes van katoen gekocht, want een dekbed daar was ook iets engs mee, geen kussen natuurlijk, geen pluchen knuffels, nergens touwtjes of strikjes: kortom, ik was er helemaal op voorbereid. Dus wat deed ik toen ze er eenmaal was? Ik nam haar lekker bij ons in het grote bed, tussen ons in, onder het stokoude, ranzige dekbed, op de dito matras. Daar was ze tenslotte ook verwekt. (Of was het toch tijdens een stomdronken nacht in een steeg in Barcelona gebeurd?) Ach, wat was dat gezellig, die baby in mijn bed. Een moeder gaat in haar slaap niet zomaar op haar kind liggen, besloot ik ter plekke. Met een vader bleek dat anders te liggen, vooral als die vader net met het kraambezoek feestelijk een paar flessen champagne geledigd heeft. In de tweede nacht na haar geboorte werd ik wakker van gepiep en gewoel: de stakker was onder haar ronkende vader (twee meter, honderd kilo) beland en bezig zich met succes onder hem vandaan te worstelen. Daar zijn baby's gelukkig heel goed in, maar toch. Ik stompte de zuiplap wakker en ter plekke maakten wij krachtige afspraken over drankmisbruik en logeerbedden. De kraamhulp merkte na een paar dagen wel dat ze dat wiegje dagelijks voor de kat zijn kont verschoonde. 'Ach ja, zo'n eerste week heb je zo'n kleintje natuurlijk liever bij je', glimlachte ze. Mijn moeder keek hoofdschuddend toe. 'Kind, je verwent haar, daar krijg je spijt van. Vergeet niet dat je eigen leven gewoon doorgaat, en denk ook aan je man, die wil zijn vrouw na negen maanden óók wel weer eens voor zichzelf hebben.'

Ik vond haar erg ouderwets. Mijn kind had negen maanden in mijn buik gezeten (dat was aan die buik helaas nog prima te zien), dus ik kon haar best nog even bij me houden. Dat was toch geen verwennen? De meesten van mijn vriendinnen dachten er trouwens net zo over. Die eerste weken, natuurlijk, gezellig... maar een jaar later lag mijn kind er nóg, en toen was de lol er echt wel af. Het valt niet mee om je seksleven te hervatten als er iemand, hoe klein en onnozel ook, geïnteresseerd kirrend ligt toe te kijken naar wat zich daar zoal verheft. Bovendien had ze de slopende gewoonte midden in de nacht wakker te worden voor consumpties of een potje stoeien: tegen zevenen viel ze dan wel weer in slaap, maar dan moesten wíj eruit. Elke poging om haar in haar eigen bedje te leggen, liep uit op een verschrikkelijke brulpartij. 'Gewoon laten huilen, dat is goed voor de longetjes', zeiden mijn moeder en uiteraard ook mijn schoonmoeder, nippend aan hun roseetjes. Nou, aan die longetjes mankeerde niks. Godallemachtig, wat brulde dat kind. We hadden medelijden, we waren moe, en zodra we haar bij ons namen was alles weer goed. Zo tobden we nog eens een half jaar voort. Als ík eens een keer voet bij stuk wou houden, werd haar vader wel weekhartig, of andersom.

Uiteindelijk nam ik de sprong toen pa een week op reis was. Ik liet haar huilen terwijl ikzelf op een stoel in de gang geluidloos meehuilde, een fles wodka onder handbereik. Ieder kwartier ging ik even haar kamertje binnen, om te laten zien dat ik echt niet was afgereisd. Maar ik haalde haar niet uit bed. Het duurde uren voor we allebei uitgeput in slaap vielen. Toen ik de volgende ochtend om zes uur wakker schrok, haar kamer binnenrende en doodongerust mijn kegel in haar gezicht hijgde, sliep ze nog. Die avond huilde ze maar een half uur. En de derde dag ging ze gewoon slapen. Ik kon het haast niet geloven, maar dat was dat.

Tegen al mijn doodvermoeide vriendinnen in hetzelfde schuitje schepte ik op over mijn overwinning en deze ellende zou mij uiteraard geen tweede keer overkomen want ik wist nu wel beter. Ik gooide mijn uitgelubberde zoogbeha opgelucht achter de krantenbak, kocht een rood kanten gevalletje, mijn seksleven klaarde aanzienlijk op, en algauw kreeg ik wéér een kind. Een zoon. Had ik mijn dochter grotendeels met de fles gevoed wegens gebrek aan eigen productie, nu had ik opeens volop zog. In zo'n geval is het eigenlijk wel héél handig als je baby bij je in bed slaapt, nietwaar? Dus daar ging ik weer.

Mijn zoontje had de gewoonte 's nachts zelf toe te tasten wanneer dat zo uitkwam. Dat was natuurlijk prima, want ik werd daar nauwelijks wakker van. Alleen jammer dat hij vaak zó frequent en gulzig tekeerging, dat hij de overdaad weer uitkotste. Over mij heen. Meermaals per nacht werd ik dus tóch wakker, in een plens lauwe, zure melk. Toch hield hij blijkbaar nog meer dan genoeg binnen, want hij werd al gauw ontzettend dik. Ik ook, trouwens. Wie heeft er verzonnen dat je van borstvoeding geven slank wordt? Een flagrante leugen. Want niet alleen heeft een vrouwenlichaam de onstuitbare behoefte de door het kind afgepakte calorieën dubbel en dwars te vergoeden met friet, bier, chocoladetaart, rijpe camembert, bananenschuimpjes en kroketten, maar ook raak je door dat gezellige samen slapen (en tien keer per nacht samen wakker worden) zó uitgeput dat je alleen op de been blijft door nóg meer te snoepen. Na een maand of acht waren mijn zoon en ik dus allebei moddervet, en ik bovendien grauw van uitputting. Hij niet. Baby's slapen nu eenmaal zoals ze eten: veel en vaak. Helaas wel altijd op onhandige momenten. Overdag dus, als ik wat beters te doen had dan slapen. En 's nachts bijna niet.

'Je moet gewoon óók zo leren slapen, met kleine porties tegelijk', ried mijn vriendin Sara, moeder van drie kinderen, mij aan. 'Kijk niet op de klok, maar geniet van het moment met je baby.' Zelf slaap ze met al haar kinderen in bed, en dat doet ze nog steeds. Dat gaat best, vooral omdat haar man al jaren op de bank slaapt. Op zijn plaats ligt zijn oudste dochter, bijna acht, een kalf van een meid. Sara's vijfjarig zoontje ligt met zijn hoofd aan het voeteneind. En het jongste dochtertje van drie ligt, bij wijze van concessie, in een kinderbedje waarvan de spijlen aan een kant zijn doorgezaagd en dat met de open kant tegen het ouderlijk bed staat geschoven. Hartstikke handig, behalve dat de jongste pas wil gaan slapen als haar moeder meegaat. Zo ligt Sara elke avond om acht uur in bed, te wachten tot het kleintje slaapt. Meestal valt ze zelf van de weeromstuit óók in slaap. Logisch, want 's nachts is het erg onrustig in dat overvolle bed. Dan moet díe weer plassen, dan moet díe een slokje water, het knuffelgirafje is uit het zicht gewoeld en het vijfjarige zoontje droomt regelmatig van wc's en plast vervolgens steevast in bed. Dan moet de hele handel midden in de nacht opstaan, zodat Sara het bed kan verschonen. Trouwens, een briljante tip, van Sara: maak je matras op, compleet met molton en onderlaken, doe daaroverheen zo'n waterdicht zeiltje en maak de matras daaroverheen nóg eens op. Bij een ongelukje midden in de nacht hoef je alleen maar slaapdronken de bovenste lagen eraf te trekken, en je kunt verder slapen in een schoon bed. Zo gaat Sara opgewekt door het leven. Ja, zij heeft makkelijk lullen met haar 'leren slapen met kleine porties tegelijk': zij heeft geen baan, en doet dagelijks een forse middagdut met de jongste. Zo kan ik het óók. Aan de andere kant: ze is al in geen acht jaar een nacht van huis geweest, want daar zouden de kinderen maar van schrikken. 'Joh, dat reizen kan ik toch later altijd nog?' Zeker, maar dat wordt dan wel véél later, want Sara is inmiddels weer zwanger. Hoe krijgt ze dat voor elkaar, toch niet in dat familiebed? Nee, lacht ze stralend, maar het huis heeft dank zij dat familiebed een hoop lege kamers, en in al die kamers staat wel een bank of een bed. Leuk toch?

'Leuk of niet, een kind heeft gewoon 's nachts zijn ouders net zo hard nodig als overdag', vindt Jenny, een Amerikaanse vriendin die ik op het kleuterschooltje van mijn zoontje leerde kennen. Zij is een fanatiek aanhanger van het zogeheten *attachment parenting*. Dat is een twintig jaar geleden door een Amerikaanse kinderarts ontwikkelde methode van kinderopvoeding, waarbij een 'goede hechting tussen ouders en kind' vooropstaat. Borstvoeding op verzoek (op verzoek van het kind, let wel, niet op verzoek van de moeder), je baby zo veel mogelijk bij je dragen (in een draagzak, dus geen kinderwagens), reageer onmiddellijk op elk signaal van het kind, vermijd dat je regelmatig van het kind gescheiden bent (dus geen crèche, en ook geen avonden doorzakken in cafés met verloederde lotgenoten) en, het ergste, slaap samen met je kinderen zolang zíj dat zelf willen. Door deze maximale koestering en genegenheid groeit zo'n kind uiteindelijk uit tot een intens gelukkig mens met vertrouwen in zichzelf en anderen. Jaja. Dat zegt Jenny. Zou ze gelijk hebben? Of krijgt een kind dat dag en nacht bij zijn ouders is misschien een wantrouwen jegens de rest van de wereld, die doorgaans toch ook gevuld is met aardige mensen?

Ik weet het niet. Toch voel ik mezelf altijd een beetje een rotmoeder vergeleken bij Sara en vooral bij Jenny. Want na mijn dochter zette ik mijn zoontje, en later ook zijn broertje, uiteindelijk mijn bed uit. Dan volgde weer het ritueel: mijn kind brulde in zijn eigen bed, ik huilde met een fles wodka in een stoel op de gang. Niet toen ze nog kleine, half opgevouwen baby's waren, dat kon ik niet over mijn hart verkrijgen. Altijd pas als ze groot en vet waren geworden en ik er echt genoeg van had. En dat is misschien ook wel de meest natuurlijke manier van moederschap: dat je je opoffert voor je kinderen tot je het echt helemaal zat bent. Volgens mij doen dieren het ook zo. Alleen gaan dieren natuurlijk niet met een fles wodka op de gang zitten huilen. Nou ja, dat is dan ook alleen omdat dieren daar nu eenmaal te stom voor zijn.

Mijn zoontjes zijn intussen zeven en vier. Die komen 's nachts alleen nog hun bed uit als ze ziek zijn, of als er in hun dromen een spin of buitenaards wezen is verschenen. Dat is gelukkig uiterst zelden. Mijn oudste zoontje kan intussen klokkijken, en hij houdt zijn broertje in bedwang tot het uur U. Pas om half acht schuiven ze samen bij mij onder de dekens, huiverend van voorpret om mij eens lekker met hun knokige knietjes wakker te porren. Ze vechten dagelijks om mama's 'zachte kant'. Daarmee bedoelen ze mijn vóórkant, hoezeer ik ze er ook van probeer te overtuigen dat de achterkant óók zacht is. Ik geniet van die kinderen in mijn bed, vooral ook omdat ze me 's nachts met rust laten. Achttien uur per dag ben ik beschikbaar, maar tussen middernacht en ochtendgloren is het loket alleen voor noodgevallen geopend. Dat is onnatuurlijk, vinden Jenny en Sara. Zeker, dat ís het ook. Net zoals het onnatuurlijk is dat ze niet met stokjes en stenen spelen, maar met de Nintendo Wii. Dat ze geen zelfgeplukte bessen, noten, knollen en rapen eten, maar sushi van de Japanner om de hoek, kartonnen kipnuggets en ingevlogen peultjes uit een land waar ze nog nooit zijn geweest. Of dat ze dagelijks duizenden kilometers verderop live in beeld per Skype vieze moppen uitwisselen met hun nichtjes in Amsterdam.

Mijn oudste dochter is tien, en 's ochtends alleen nog met behulp van een harpoen wakker te krijgen. Die komt niet meer bij mij in bed. Behalve als papa op reis is. Dan vraag ik haar 's avonds zogenaamd achteloos of ze misschien bij mij wil slapen. Ja, leuk! Straalt ze dan. We gaan samen gezellig laat naar bed, ieder met een laptop op schoot, zij nog steeds met haar deerlijk verfrommelde knuffellammetje van tien jaar geleden. Wat liggen we daar dan gezellig, net als toen. Hoelang nog? Ik houd mijn hart vast. Als zíj kinderen krijgt, dan neem ik ze met liefde elke nacht bij me in bed. Ik kan niet wachten.

SCHOOLTJE, BOOMPJE, BEESTJE

1 DE JUF KOMT BIJ MIJ THUIS TOCH OOK NIET STOFZUIGEN? **2** VADER SLAAT JUF
3 DE LEUKSTE MOEDER VAN HET LAND **4** DAAR KOMT TIJGERMAMA

DE JUF KOMT BIJ MIJ THUIS TOCH OOK NIET STOFZUIGEN?

Basisscholen ronselen knutselmoeders, leesmoeders, luizenmoeders, sportdagmoeders en, God betere het, kerstkoormoeders. 'Van de week kwamen ze vragen of ik acht elfenpakjes wilde naaien. Mét rits.'

DOOR SYLVIA WITTEMAN

Alsof het al niet lastig genoeg is, al die extra vrije dagen. Een margedag, studiedag of atv-dag heet het o zo vriendelijk, maar het komt erop neer dat je je kinderen een dag thuis hebt op een moment dat het helemaal niet uitkomt. Zeker, zoiets wordt van tevoren aangekondigd, op een briefje dat zich op de dag des onheils onder in de Spongebob-rugzak blijkt te bevinden, half verteerd in een plasje Fristi. 'Nou, tot maandag dan maar!' zegt de juf opgewekt, donderdagmiddag om half drie (hadden we vroeger niet tot vier uur school?), terwijl ze de dertig plakkerige handjes van groep één gedag schudt. Monden van slordige moeders zakken verbijsterd open. Tot máándag?! Juf wijst op de nieuwsbrief, die als een deurwaardersexploot naast de kinderwc'tjes hangt: vrijdag bijscholingscursus onderbouw. Bedoeld wordt niet bijscholing van de leerlingen, helaas, maar van het onderwijzend personeel. Een lelijke tegenvaller. En dan komt de genadeslag, in de vorm van een grote juten zak, nog van Zwarte Piet geweest zo te zien, tot de rand vol met Duplo-stenen. 'Wie van de ouders kan de Duplo even opfrissen, ergens in dit lekkere lange weekend?' roept de juf verlokkend. Moeders kijken elkaar vorsend aan, de schaarse afhaalvaders zoeken dekking. Ik wil niet altijd de lulligste zijn. Nou, geef maar hier, dat zien we overmorgen wel. Hoe vies kan Duplo nou helemaal worden? Ook dát valt niet mee, de vrolijke blokjes maken inderdaad een smoezelige indruk, zo blijkt zondagavond om een uur of elf. Daar sta ik dan, gebogen over een badkuip vol schuim met een tandenstoker de rozijnen uit dat helse speel-goed te peuteren. Met rugpijn maar vol trots breng ik de nog vochtige bouwsteentjes de volgende ochtend naar school. 'Nou, dat was een hele klus, maar het is het waard', schep ik op tegen collega-moeder A. Nu heb ík eens iets nuttigs voor school gedaan, dan zal iedereen het weten óók. En uitgebreid doe ik verslag van de worsteling in de badkamer. 'Joh, je lijkt wel gek, Duplo kun je gewoon in de wasmachine gooien. In een kussensloop, hartstikke makkelijk', kweelt het door de wol geverfde moedermens. En weg is ze alweer, met een kammetje harkend over kleuterkruintjes, een flesje Dettol in de aanslag. Niemand is zo'n goede luizenmoeder als A. God zegen de luizenmoeders, want luizen kan ik er nu echt even niet bij heb-ben. Kijk haar eens vlot kammen! Ieder meisje krijgt een fris vlechtje, staartje of knotje, de jongetjes een kek gelkuifje. Ik daarentegen ben elke ochtend een kwartier bezig om de ergste klonten uit het haar van mijn dochter te kammen, omdat het gisteravond wéér niet van wassen is geko-men. Daarbij stampvoeten wij beiden, zij van pijn en ik van ongeduld. Mijn zoontjes houd ik gemakshalve zo kort mogelijk, dat wil zeggen hun haar: qua opvoeding schiet het er een beetje bij in. Gewóón moeder zijn van drie kinderen, dat is al lastig genoeg. Zeker met een baan erbij. Knut-selmoeder, leesmoeder, luizenmoeder, sportdagmoeder en God betere het, kerstkoormoeder: daar heeft een normaal mens toch geen tijd voor?

'Niet alleen geen tijd, maar vooral ook geen zin', klaagt Judith, fulltime journaliste met twee kinderen. 'Maar daar rust een taboe op, je moet het leuk vinden om mee te helpen op school. Ik zou best één keer in de week kunnen helpen knutselen, maar ik háát knutselen. En ze knutselen toch al zo veel. Elke week komen ze weer uit school met een enorm groot kunstwerk. Schattig hoor, maar wat moet je er mee? Het slingert rond, ze doen er niks meer mee, maar als je het waagt iets weg te gooien, worden ze woedend. En dan die projecten, vreselijk. Dan sta je om kwart over acht haastig brood te smeren, en dan zegt mijn dochtertje: "O, ja, mama, we moeten iets met pinguïns mee, voor het Zuidpoolproject." Gelukkig vond ik nog ergens een pinguïn-tonicstampertje. Komen we aangerend, het eerste wat ik zie is een jongen met een pinguïntrui. Gebreid door zijn moeder. Dan voel ik me schuldig, maar denk ik ook: wat bezielt zo'n mens?'

Ook Mirjam heeft het met drie kleine kinderen en een eigen tekstbureau druk genoeg. Lang niet iedereen begrijpt dat: '"Handig joh, jij bent eigen baas, jij kunt je tijd helemaal zelf indelen. Kom jij volgende week helpen met de sportdag? Voor moeders met een vaste baan is het zo lastig, want als het gaat regenen moeten we alles afgelasten, en dan hebben ze voor niks een vrije dag opgenomen", zegt zo'n juf dan. Leuk, maar na zo'n slopende dag op een modderig veld moet ik wel 's avonds mijn werk inhalen. En ik ben nota bene al twee keer per week overblijfmoeder. Ook niet voor mijn lol, maar íemand moet het toch doen?'

Het onderwerp ontlokt felle discussies op het schoolplein. Buitenshuis werkende tweeverdienermoeders als Myrthe en Tess hebben de ideale oplossing gauw gevonden: 'Als ze ons gewoon een paar tientjes meer laten betalen aan ouderbijdrage, kunnen ze van dat geld mensen inhuren voor het begeleiden van al die extra activiteiten.' Dat lijkt een heel goed idee. Maar thuisblijfmoeders Bea en Eileen zijn daar fel op tegen. Aan de school geef je een groot deel van de opvoeding van je kinderen uit handen, dan moet je wel een beetje in de gaten houden of dat goed gebeurt. Intussen maak je je bovendien nuttig voor een heleboel kinderen tegelijk, vinden ze. Bea: 'Werkende moeders stellen hun prioriteiten anders, ik zal daar echt niet op schelden. Maar ik denk: de kinderen zijn maar heel even klein, die periode wil ik zo veel mogelijk met ze samen doen.' 'Ik heb deze school er speciaal op uitgekozen omdat ze een grote betrokkenheid van de ouders propageren', aldus Eileen. 'Ik vind het belangrijk om te zien wat er allemaal gebeurt op de school van mijn kinderen, en ik wil graag bijdragen aan leuke extraatjes. Er zijn ook scholen waar de ouders zelf de wc's moeten schoonmaken, omdat anders niemand het doet. Dan hebben wij het nog getroffen. Het is toch hartstikke gezellig om samen met die kleintjes een ochtend koekjes te bakken? Dat doe ik veel liever dan geld betalen. Trouwens, ik kan me financieel ook niet zomaar alles veroorloven.'

'Die betrokkenheid van ouders, daar heb ik indertijd overheen gelezen', foetert Myrthe. 'Als ik had geweten wat het inhield, dan was ik wel een deurtje verder gaan kijken.' Ze heeft zich aan het begin van het schooljaar in een onbewaakt ogenblik de rol van klassenouder in de schoenen laten schuiven, en staat nu voor de schone taak een cadeautje aan te schaffen voor de jarige juf. 'Moet ik dertig gehaaste ouders één euro vijftig zien te ontfutselen om iets moois uit te zoeken. Maar wat, in godsnaam? Een geschenkbon dan maar weer? Of staat dat onaardig? Dat gezeik, een juf hoort gewoon vijftien zeepjes en vijftien doosjes Mon Chérie te krijgen.'

Volgens Tess zijn er nogal wat moeders die op school vooral helpen omdat ze hun kind niet kunnen loslaten: 'Je pikt ze er zo uit, vaak hebben ze geen baan en alle tijd om zich overal tegenaan te bemoeien. Je komt steeds dezelfden tegen bij het schoolreisje, de overblijf, het verkeersproject. De hele dag lopen ze op school rond omdat ze geen minuut zonder hun kind kunnen. Je moest eens weten hoeveel kinderen alleen mee mogen op schoolreisje als die moeders erbij mogen zijn. Ze zijn waarschijnlijk bang dat hun kind gekidnapt wordt in de Efteling. Of in Artis door een beer gebeten.'

Het lijkt een zoveelste discussie tussen werkende moeders en huisvrouwen te worden. Maar ook niet-buitenshuis werkende moeders hebben niet altijd zin en tijd om zich voor de school in te zetten. Annet, thuismoeder van drie kinderen: 'Kom op zeg, ik zit echt niet de hele dag met mijn kont op de bank. Ik heb nog twee kleintjes van één en drie, dat is hard werken, ik heb echt geen tijd voor die flauwekul. Maar dat wordt me telkens kwalijk genomen, want ik heb geen baan.' Veel ouders twijfelen bovendien aan het nut van al die extra's. Kinderen zitten allemaal al op sport, muziek en toneel. Moet de school dat dan, met forse inzet van overbezette ouders, nog eens overdoen? Annet: 'Die overdreven schoolreisjes, meerdere dagen of heel ver weg, nergens voor nodig. Vroeger ja, toen was zo'n schoolreisje het enige uitstapje dat kinderen hadden. Tegenwoordig gaan ze toch al twee, drie keer per jaar op vakantie, en tussendoor nog eens naar de Efteling of Eurodisney. Sommige kinderen raken totaal overspannen van al dat gedoe. Vooral in december, dan hebben ze kerst en Sinterklaas, en dat moet dan allemaal op school óók nog eens. Laat die school nou maar doen waar die voor is: lesgeven. De rest doen wij zelf thuis wel.'

Ton Geleijnse, directeur van de Haagse Galvanischool, is het daar niet mee eens. 'Voor veel kinderen zijn die extra activiteiten nog steeds de krenten in de pap. En dan is de Galvanischool bepaald geen achterbuurtschool, integendeel. Kun je nagaan hoe dat op scholen in achterstands-wijken is. Lang niet iedereen kan zich zo veel leuke uitstapjes en vakan-ties permitteren. Die kinderen geven we wat speciaals mee: een leuke basisschoolperiode. Zonder hulp van de ouders gaat dat gewoon niet. De regering geeft scholen geen geld voor al die extra's. Die luizenmoeders bijvoorbeeld, vroeger had je de pietenzuster, een verpleegkundige van de GGD die de scholen langsging met haar luizenkam. Dat is verdwenen, dus nu worden de ouders gedwongen dat soort dingen te doen.'

En de ouderbijdrage verhogen, zodat de school van dat geld betaalde krachten kan inhuren? Geleijnse: 'Je kunt niet zomaar alles afkopen, dan krijg je geen leuke, hechte gemeenschap. Bovendien zouden veel mensen die extra kosten niet kunnen of willen betalen. En zelfs als het kon, dan blijven er problemen: vanaf augustus 2006 zijn scholen bijvoorbeeld zelf verantwoordelijk voor de overblijf. Daar kun je helemaal geen mensen van buitenaf voor inhuren. Want welk uitzendbureau is bereid dagelijks voor slechts anderhalf uur, rond lunchtijd nota bene, medewerkers te sturen? Je krijgt ze gewoon niet. Gelukkig hebben we op onze school veel ouders met een eigen bedrijf en zelfstandigen in creatieve beroepen. Die kunnen vaak tussendoor wel even weg. Er zijn opvallend veel moeders, en vaders ook, die zich van harte inzetten.'

Van harte, maar niet iedereen, dus. Sommige ouders voelen zich on-der druk gezet door de school. Janneke, parttime fysiotherapeute, woont in een klein Gelders dorpje en klaagt steen en been. De dorpsschool, de enige school in de wijde omtrek, trekt alles en iedereen naar zich toe. 'Van de vaders verwachten ze dat die een vaste avond in de week komen klussen aan een praalwagen voor het kinderbloemencorso, een podium voor de toneeluitvoering, noem maar op. De moeders zijn altijd bezig met hapjes voor het paas-kerst-pinkster-zomer-afscheids-herfst-wel-komst-feest en van de week kwamen ze vragen of ik even acht elfenpak-jes wou naaien. Acht! Met rits! "Je wilt toch ook trots zijn op onze school?" zeiden ze nog. Het is emotionele chantage. Ik kan helemaal niet goed naaien, en zoiets zou me weken kosten. De moeder van een klasge-nootje deed het gelukkig gráág. Maar moet ik me nou schuldig voelen of is zij gewoon een suffe tut?'

Zo zijn er meer ouders die zich onder druk gezet voelen. Zijn ze nou moreel verplicht zich in te zetten voor de school, of niet? Geleijnse: 'Nee, wij kijken er niemand op aan. We vinden wel dat het contact tussen school en ouders belangrijk is, maar de een is nou eenmaal meer bij machte zich in te zetten dan de ander. Er is beslist geen sprake van dwang. Gelukkig zijn er een hoop mensen die het met plezier doen. Want er is gewoon te weinig geld voor onderwijs. De regering wil zo graag een kenniseconomie, maar ook voor een dubbeltje op de eerste rang zitten. Daarom zijn wij afhankelijk van vrijwilligers. Zonder hulp van de ouders redden wij het niet.'

Thuisblijfmoeder Annet blijft al die argumenten onzinnig vinden. 'Ik heb een keer tegen die juf gezegd: "Jullie moeten de school zien als een bedrijf dat professioneel gerund moet worden. Bovendien: jullie komen bij mij toch ook niet stofzuigen?"'

VADER SLAAT JUF

Je zal maar het kind zijn van ouders met hoge verwachtingen. 'Staat zo'n moeder weer te tieren en te razen omdat haar dochter een slecht cijfer voor topografie heeft.' **DOOR JOSSINE MODDERMAN**

Ouders die zich misdragen op school, dat heeft een enorme impact op leerkrachten. Om juist op de plek waar gezond verstand en enig fatsoen tot het DNA moeten behoren, beledigd en bedreigd te worden, is niet te verteren. Maar het gebeurt en heus niet alleen in Tokkie-milieus.

Annette is juf van groep een en twee en voor wie het niet weet: dit zijn kleuters. Haar verhaal: 'Op een middag gaf een jongetje zijn buurman een enorme schop. Ik ga naar hem toe, zeg dat hij dat absoluut niet mag doen en dat hij in de pauze binnen moet blijven omdat ik hem wil spreken. Het jongetje zegt: "Dat doe ik niet. Jij bent niet de baas over mij." Om twaalf uur wil hij weglopen, ik pak hem vast en trek hem naar me toe. "Jij blijft hier", zeg ik en zet hem op een stoel. Enfin, we praten even, hij wordt kalmer en na tien minuten mag hij ook naar buiten. Een uurtje later stormt zijn vader binnen. Of ik zijn zoon bij de arm heb gegrepen. Voordat ik überhaupt antwoord kan geven, schreeuwt hij dat zijn kind niets heeft gedaan en dat het andere jongetje hem had uitgedaagd. "Niemand behandelt mijn zoon zo", riep hij. "Als iemand mijn kind bij zijn arm pakt, ben ik dat. Als je hem nog één keer aanraakt, sla ik je met je kop door het bord." Exit papa.'

Annette bleef bedremmeld achter, sprakeloos en overstuur. Ze lichtte haar directeur in over het voorval. 'De directeur kende deze ouders al langer. Ze hadden nog een dochter en haar onderwijzer was ook al eens verbaal aangevallen omdat hun dochter een onvoldoende had gekregen.

Toen onze directeur de ouders hierover aansprak, had de vader gezegd: "Jullie hebben het op onze dochter gemunt. Als je daar niet mee ophoudt, gaat er een steen door je ruit. Ik weet waar je woont.'"

Het deed Annette goed dat haar directeur haar versie zonder meer geloofde; het wil ook nog weleens gebeuren dat de schoolleiding de kant van de scheldende ouder kiest om de lieve vrede op school te bewaren. De directeur nodigde de ouders nogmaals uit voor een gesprek. 'Hij zei rustig dat de school niet gediend was van dit soort dreigementen en dat bij een volgend incident aangifte gedaan zou worden. Als ze het er niet mee eens waren, moesten ze hun kinderen maar van school halen.' De ouders namen dit ter harte en hielden zich na het gesprek koest.

Voor de goede orde: Annette geeft les op een lagere school in de keurige Rotterdamse wijk Hillegersberg en de opstandige vader is uitgever. Waar komt dit waanzinnige gedrag vandaan? Cultuursocioloog Dick Houtman, verbonden aan de Erasmus Universiteit Rotterdam, denkt dat de emancipatie van de burger ermee te maken heeft. Sinds de jaren zestig zijn we almaar mondiger geworden en sindsdien hebben traditionele gezagdragers (politie, artsen, onderwijzers, politici) het niet makkelijk. Veruit de meeste mensen blijven in de dagelijkse omgang netjes binnen de grenzen van het betamelijke, maar er zijn neanderthalers die voor niets en niemand respect lijken te hebben. Dick Houtman: 'En dat zijn heus niet alleen mensen uit de lagere sociale klassen. Ook hogeropgeleiden kunnen een grote mond opzetten als ze het ergens niet mee eens zijn. Mensen zijn steeds minder bestand tegen teleurstellingen. Als er iets misgaat, voelen ze zich al snel tekortgedaan en houden ze hun ongenoegen niet voor zichzelf. Tegenslag is al snel de schuld van de ander – bij voorkeur de overheid of andere groepen. Hoe slechter mensen in staat zijn hun eigen problemen op te lossen, hoe meer ze geneigd zijn agressief te worden.'

De blindheid van sommige ouders voor de tekortkomingen van hun eigen kind kan bizarre vormen aannemen. Feilloos zien ze dat hun buurjongen het Syndroom van Asperger heeft, maar hun eigen kind is niet dom, hooguit lui. 'Texas kan het wel, maar wil niet', klinkt het trots bij het tienminutengesprek als de leraar al zijn moed bijeen heeft geraapt om te vertellen dat Texas nauwelijks leesniveau 7 beheerst, terwijl de rest van de klas al op niveau 9 is. Alsof niet willen hoger in de academische voedselketen staat dan niet kunnen.

Een kwaal doet het ook altijd goed: zo is Dexter geen jeugddeliquent in spe, maar heeft hij volgens paps en mams ADHD en verkeert hij bovendien in gezelschap van slechte vriendjes. Dat hij tegen andere kleuters 'Kill, kill, kill, I wanna kill you' roept, is slechts een gevolg van zijn hoogbegaafdheid: hij spreekt al uitstekend Engels. Het komt niet bij zijn ouders op dat hun opvoeding weleens met het gedrag van hun kind te maken zou kunnen hebben. Vroeger heette een kind dat goed kon leren vlot, tegenwoordig is het niet minder dan geniaal en behoeft het een aangepast lesprogramma. Iedere ouder, van welke generatie dan ook, wil het beste voor zijn kind, maar voor sommige vaders en moeders is het beste nog niet goed genoeg. Kinderen worden opgejaagd alsof het een race om het presidentschap betreft. Dit soort ouders duldt geen kritiek op hun kind.

Steven Pont is ontwikkelingspsycholoog te Amsterdam. 'Als het niet goed gaat met je kind, is het al snel de schuld van de school. Je ziet tegenwoordig veel "projectkinderen". Hun opvoeding is in de ogen van de ouders een project dat succesvol moet worden afgerond. Als de leraar vindt dat het niet goed gaat met kindlief, zien ouders dat al snel als kritiek op hun opvoeding. En omdat er nogal wat tijd, aandacht en geld in hun project zit, is kritiek ronduit onaangenaam en ongewenst.'

Finn zit in groep zes. Een pienter mannetje met een leuk koppie. Helaas drijft zijn gedrag zijn onderwijzer tot wanhoop: 'Finn is even begaafd als onhandelbaar. Als er even iets tegenzit, hij kan bijvoorbeeld zijn kleurpotloden niet vinden, gooit hij zijn stoel of tafeltje om, klimt vervolgens door het raam en rent naar huis. Finns vader is huisman, zijn moeder traumachirurg. Ik heb een paar keer met zijn ouders gesproken, maar ze vinden zijn gedrag niets om je zorgen over te maken. Ze beweren dat hij op school niet genoeg wordt uitgedaagd. Dat hun kind een ettertje is, dat stevig zou moeten worden aangepakt, komt niet in ze op.' Uiteraard bezigt hij deze kwalificering niet als hij met de ouders van Finn praat. 'Het is om moedeloos van te worden. Sommige ouders steken hun kop in het zand als hun kind op school onmogelijk gedrag vertoont. En dan heb ik het niet over asociale mensen of ouders die weinig aandacht

47

voor hun kind hebben. Integendeel. Sterker nog: aan alles is te merken dat Finns ouders hem op alle gebied stimuleren. Ik geloof dat hij op zijn vierde al de Odyssee kreeg voorgelezen. Als het over zijn wispelturige gedrag gaat, lijken zijn ouders echter doofstom en stekeblind. Soms denk ik dat ze het belangrijker vinden dat Finn hoog scoort, dan dat hij een leuke volwassene wordt met een gezonde dosis verantwoordelijkheidsgevoel.'

Werd van een kind vroeger verwacht dat het met twee woorden sprak en u zei tegen een oudere, nu moet het een hoge Cito-score halen en foutloos *Für Elise* kunnen spelen. Ontwikkelingspsycholoog Steven Pont: 'Elke maatschappij krijgt de kinderen die zij verdient. Wij leggen de nadruk op presteren en dus krijgen we prestatiegerichte kinderen. Het grote verschil met vroeger is dat je veel grote gezinnen had. Je had een stuk of vier, vijf eieren in je mand. Als één eitje een barstje vertoonde: soit. Maar nu heb je hooguit twee eitjes, en is de helft van je productie mislukt. Als je maar één eitje hebt: je héle productie. Daarbij wonen we in een maatschappij met vervagende grenzen. Mannen en vrouwen lijken steeds meer op elkaar, ondergeschikten noemen hun meerdere bij de voornaam, mensen dicteren de dokter wat de diagnose moet zijn. Ook thuis en school vervloeien steeds meer met elkaar. Van ouders wordt verwacht dat ze helpen bij knutselen, lezen en schoolreisjes, van de leerkracht wordt verwacht dat hij het kind sociale vaardigheid bijbrengt.'

Mondigheid is mooi, maar kan ook doorslaan. Als een onderwijzer een leerling academisch lager inschat dan de ouder, kan dat tot drama's leiden. Liselot is juf van groep acht en weet er alles van. Met de nuance die tegenwoordig alleen onderwijzers en zorgverleners nog lijken te hebben, zegt ze: 'Iedere ouder wil het beste voor zijn kind en daar is niets mis mee. Integendeel, het weerspiegelt de interesse van een ouder in zijn kind. Het probleem begint als hun verwachtingen niet stroken met de realiteit. Ik gaf een kind een keer een havoadvies, waarop zijn moeder zei: "Maar hoe kan dat nou? Mijn man en ik hebben allebei gymnasium. Intelligentie is toch genetisch bepaald?"'

Liselot wordt voor de vreselijkste dingen uitgemaakt. 'Toen ik een Turks meisje vmbo-advies gaf, stapte haar moeder op hoge poten naar mijn directeur om te vertellen dat ik een racist was. Heel vervelend, juist omdat wij zo zorgvuldig te werk gaan bij schooladviezen.'

Ook Mark is onderwijzer in groep acht: 'Toen ik een jongetje een vmbo-advies gaf, vond zijn vader dat onverteerbaar. Bij een voorlichtingsavond stond hij zelfs op, om luidkeels te beweren: "Niemand wil toch dat zijn kind bij die proleten van het vmbo terechtkomt?"' Mark sprak meerdere malen met de ouders van de jongen, maar pa was onvermurwbaar: zijn zoon deed gewoonweg zijn best niet. Hij moest bijlessen krijgen en thuis zouden ze eens flink met hem oefenen. Zoals Mark al verwachtte, scoorde de jongen bij de Cito-toets op vmbo-niveau. 'Ik gaf hem een compliment bij het tienminutengesprek: hij had rekenen boven verwachting goed gedaan. Op dat moment draaide zijn vader zich naar hem om en beet hem toe: "Als je maar weet dat ik het allemaal kut vind."'

Hooggespannen verwachtingen, een gehandicapt zelfinzicht én een kort lontje: als kind heb je het bepaald niet gemakkelijk als je ouders op alle punten hoog scoren. En dan kan je vader stedelijk planoloog zijn en je moeder kinderrechter en het nog zó goed met je voor hebben, je wordt er niet direct gelukkiger op. 'Het is ironisch', verzucht een onderwijzeres. 'Ouders willen dat hun kind gelukkig en succesvol wordt en denken dat te bereiken door zich intensief met het schoolleven te bemoeien. Ik heb weleens meegemaakt dat een moeder stond te tieren en te razen omdat haar dochter een slecht cijfer voor topografie had. Haar dochter pakte haar bij de hand en zei: "Mama, doe nou niet, ik schaam me zo." Het begint echt altijd met de volwassene. Als zij niet de maat aangeven, kun je ook niet van kinderen verwachten dat zij maat weten te houden. Als ouders geen respect hebben voor anderen, hebben kinderen dat ook niet. Ik denk weleens: jemig, doe toch eens normaal. Ik kan je uit ervaring zeggen dat álle kinderen willen dat hun ouders gewoon normaal doen.'

DE LEUKSTE MOEDER VAN HET LAND

Salsadansen voor baby's. Kleuterpartijtjes die twee hele dagen duren. Hysterische traktaties. Als we niet snel ophouden met de wedstrijd 'Wie is de leukste moeder van Nederland?' eindigen we met zijn allen in het gekkenhuis. **DOOR SYLVIA WITTEMAN**

Het feestje ter ere van Julia's zesde verjaardag duurde een weekend. Zaterdag quiz, speurtocht, koekjes bakken, poppenkast, gourmetten. Vervolgens een logeerpartij met twaalf vriendinnetjes. Zondags een uitgebreide brunch met kinderchampagne, tochtje naar het strand en kampvuur. Tot slot de vertoning van de video-opnames die door Sanne, de moeder van jarige Julia, waren gemaakt en van spannende muziek voorzien. Het thema was 'heksen' en letterlijk het hele huis was met desbetreffende motieven versierd. De gordijnen zaten vol zwarte spinnen, in elke hoek zat een pad of hing een vleermuis, alle deuren kraakten authentiek. De reusachtige verjaardagstaart was gifgroen en bedekt met paddenstoelen van marsepein en suikeren spinrag. Voor ieder kind was er een prachtig heksenkostuum – zelfgemaakt door Sanne. Al met al zeer imposant. Wel vreesde ik voor de gevolgen toen ik mijn dochtertje ophaalde van het festijn. Ik zag andere moeders ook al zenuwachtig kijken. En ja hoor, op de fiets begon mijn dochter al te zeuren: mag ik ook zo'n feest als ik zes word?

Twintig spinnen van breiwol knutselen, tien heksencapejes naaien, ik moet er niet aan denken. Laat staan tien gillende kids een heel weekend bezighouden. De tijd en energie die daarin gaan zitten, kan ik wel beter gebruiken. Bovendien vind ik het overdreven onzin. Toen ik zelf zes werd begon een partijtje om half vier, je kreeg een glas ranja en een stuk taart. Daarna speelde je ezeltje prik of koekhappen, en dan ging je naar huis om te eten. Een heel enkele supermoeder bakte nog wel eens frietjes en ik kan me één extravagant partijtje herinneren waar filmpjes werden vertoond.

Een dikke zes jaar geleden wist Sanne niet eens waar je breiwol kon kopen, een naaimachine was iets uit het museum voor nijverheid, en spinnen liet ze verwijderen door haar werkster. Sanne was een echte yuppie. Een dik betaalde managersfunctie, hard werken en flink feesten. Maar op haar vijfendertigste sloeg het biologische klokje van gehoorzaamheid. Ze trouwde, kreeg binnen een jaar dochter Julia, gaf haar baan op en kreeg nog voor haar veertigste verjaardag twee zoontjes. Eindelijk wist Sanne waar het om draaide in het leven. Een paar jaar praatte ze alleen nog in thuisblijfmoederclichés: 'Ik zou niet kunnen verdragen dat mijn kind zijn eerste stapjes aan de hand van een vreemde zet! Ik geef borstvoeding tot de kinderen zelf aangeven dat ze niet meer willen! Twintig minuten tv per dag is het maximum!'

Sinds haar kinderen naar school gaan is Sanne echter niet meer zo zeker van haar zaak. 'Ik benijd werkende moeders. Ze verdienen hun eigen geld en komen onder de mensen. Ik draai voor alle klusjes op waar zij geen tijd voor hebben. Ik heb toch tijd zat, denkt iedereen. En ik voel me ook nog verplicht mijn kinderen een fantastische jeugd te geven. Daar heb ik tenslotte mijn baan voor opgegeven.'

Ook Kate Reddy, de hoofdpersoon van de bestseller *Hoe krijgt ze het voor elkaar*, heeft het niet makkelijk. Midden in de nacht staat ze kant-en-klaar gekochte appeltaartjes met een deegroller te bewerken om ze een zelfgebakken uiterlijk te geven. Want Kate heeft een topbaan en komt weleens te laat bij de toneeluitvoering van haar kinderen. De thuisblijfmoeders roddelen over haar, terwijl ze de tafel vol zetten met zelfgemaakte lekkere hapjes. Kate voelt zich permanent schuldig. Ten opzichte van haar kinderen omdat ze er niet vaak genoeg voor ze is, ten opzichte van haar baas en ten opzichte van andere moeders omdat ze in hun ogen altijd tekortschiet.

De huidige generatie moeders heeft het moeilijk. Dertig jaar geleden was het simpeler: wie kinderen kreeg, bleef thuis. Van onprettige begrippen als zelfhaat, twijfel en schuldgevoel was geen sprake, dus ook niet van het overcompenseren met feesten en cadeaus. Mijn eigen moeder had drukke dagen met drie kinderen, maar het bleef binnen de perken: we kregen na school thee met biscuitjes en speelden tot het avondeten buiten. Daarna gingen we naar bed en had mijn moeder rust. Wie bewust haar baan opgeeft voor de kinderen loopt het risico dat het moederschap een saaie, vervelende tredmolen wordt, tenzij je ook bij het moederen het onderste uit de kan haalt. En wie wél blijft werken moet oppassen er niet aan onderdoor te gaan. Als je thuiskomt moet er nog zo veel: niet alleen het huishouden en *quality time* doorbrengen met de kinderen, maar ook moeten er saucijzenbroodjes worden gebakken voor het schoolfeest en elfenvleugels genaaid voor de toneeluitvoering.

Therapeute Annette Heffels: 'Werkende moeders hebben een dubbele verplichting. Ze moeten én werken én een goede moeder zijn. Toen er nog maar weinig vrouwen werkten, werd werkende vrouwen vaak verweten dat ze geen goede moeder zouden zijn. Maar nu het merendeel werkt, worden de thuisblijfmoeders ook vaak scheef aangekeken: die hebben het maar makkelijk. Werkende moeders gaan het tekort aan tijd en aandacht voor hun kinderen overcompenseren met steeds mooiere en duurdere feestjes. Niet-werkende moeders hebben het gevoel dat zij alles moeten opknappen, omdat werkende moeders daar geen tijd voor hebben. Veel vrouwen krijgen op die manier het gevoel dat het nooit goed is. Het is goed dat vrouwen tegenwoordig de keuze hebben, maar ze moeten elkaar niet verketteren.'

Waarom laten die moeders elkaar niet in hun waarde? Heffels: 'Vrouwen zijn in principe geneigd tot gelijkheid. Ze vinden het moeilijk als andere vrouwen zich onderscheiden. Vroeger verkeerden alle moeders in dezelfde positie, maar tegenwoordig zijn er grote verschillen. Dat wekt afgunst op. En woede.'

Kleuters hebben tegenwoordig een drukker sociaal leven dan ik op mijn twintigste. Mijn dochter, nog geen zes, is vier middagen per week pas rond zeven uur thuis na alle clubjes en lessen. Meer dan genoeg, maar wekelijks krijgt ze nieuwe aanbiedingen. Doe ik Charlotte ook op de kinderkookcursus? Salsadansen? Kleuterjudo? Waarom niet? Ik gun mijn kind toch het beste? Ja, maar ik weet al waar dat op uitdraait: nóg meer heen en weer rijden met een auto vol overspannen kinderen, een judopak kopen, zorgen dat dat elke week schoon is en niet kwijt, en ach, ik heb toch een naaimachine, kan ik dan misschien acht koksmutsjes en schorten naaien, dat is toch een kleine moeite? Nou, nee. En bovendien: mag ze ook nog één middagje gewoon thuis een beetje rondklooien en zichzelf vermaken? Veel kinderen zijn intussen zo gewend geraakt aan een voortdurend aanbod van activiteiten dat ze zich niet meer gewoon thuis kunnen amuseren.

Ook Jonas is zo'n kind. Zijn moeder werkt fulltime, is gescheiden, heeft niet veel tijd voor Jonas en voelt zich over dit alles vreselijk schuldig. Geld heeft ze in overvloed, dat wel. Die combinatie staat garant voor totale verwennerij: vijfjarige Jonas komt om in het duurste speelgoed, compleet met eigen tv en dvd-speler op zijn kamer. Op zijn verjaarsfeestje haalden de kinderen hun kinderrijbewijs in echte kleine Mercedesjes, gingen daarna naar de bioscoop met een gigantische zak snoep op schoot, en vervolgens naar een restaurant waar ieder zijn lievelingsgerecht mocht bestellen. Een gigantische Sponge Bob-taart was het toetje. Een gehuurde clown zorgde ervoor dat er geen moment van verveling kon ontstaan, en Jonas' moeder had weinig meer te doen dan de rekening betalen. Bij wijze van feestelijke uitsmijter mocht ieder kind uit de grabbelton een pakje trekken: dvd'tjes van de nieuwste kinderfilms. 'Vreselijk ordinair', oordeelden de andere moeders fluisterend. Maar kinderen zijn helaas dol op alles wat ordinair is en mijn dochter is stikjaloers op Jonas. Kan ik op haar feestje nog wel aankomen met schatzoeken en zaklopen?

Vorig jaar waren er al kinderen die verbijsterd waren dat we gewoon thuisbleven. Aan de andere kant: met een McDonald's-partijtje hoef ik ook niet aan te komen, dat vinden ze kinderachtig. Toch maar een themafeest met een visagiste die alle kinderen schminkt, zoals laatst bij Anna? Een sprookjestaart bestellen? Een goochelaar huren? Of wordt het discozwemmen en de klimmuur? Help!

Ook het trakteren op school is verworden tot bewijsstuk in de wie is de beste moeder-rechtszaak. Er wordt met tijd en geld gesmeten. Op het kinderdagverblijf van mijn zoontje werd een baby één jaar: hij trakteerde op slabbetjes met de namen van de kinderen erop geborduurd, door moeder zelfgemaakt. Hoeveel uren gaan daarin zitten? Een tweejarige bracht een hele spoorbaan mee – rails van dropsliert, lolliespoorbomen en wagonnetjes van Smartiedoosjes. Ook gezien: voor ieder kind een beker met fo-to-opdruk van het klasje, vol lolly's en kauwgum. Dan kan ik toch niet met goed fatsoen met Danoontjes komen aanzetten? In mijn jeugd was een doosje rozijnen, een mandarijntje of een blokje kaas met een knak-worstje standaard. Een negerzoen of pennywafel gold als buitensporige luxe. Bij mijn vijfjarige dochter op school werd laatst op frisbees getrak-teerd. Elk exemplaar was gevuld met mini-Marsjes, verrassingsei, Chupa Chups, bellenblaas en naamstempel. Reken maar uit hoeveel tijd en geld daarin gaat zitten.

Het is moeilijk laveren voor een moeder. Oké, ik maak die prachtige Barbietaart, maar de schooltraktatie is een zakje popcorn. Ik speel pop-penkast op het partijtje, maar maak de poppen niet zelf. Ieder kind krijgt een potje bellenblaas en iets lekkers mee naar huis, maar we gaan géén ballonvlucht maken. Echt niet. Het kan me niet schelen hoe de andere moeders het doen. Hoewel, dat is niet helemaal waar. Natuurlijk kan het me wel iets schelen. Ik wil niet gierig lijken, maar ook niet patserig. Ik wil geen weken werken aan een schooltraktatie die binnen vijf minuten op is, maar mijn kinderen wel graag een plezier doen. Ik wil ze niet verwen-nen, maar ook niet verwaarlozen.

Waar ligt nu het juiste evenwicht? Annette Heffels: 'Doe het op je ei-gen manier. Het is toch onmogelijk door iedereen gerespecteerd te wor-den. Als je er zelf plezier in hebt een uitgebreid feest te organiseren, is het leuk en anders niet. Als je een keer geen tijd of geen zin hebt, besteed het dan uit.' Het zou me overigens niet verbazen als ouders en kinderen bin-nenkort genoeg krijgen van al die overdaad. Retro-kinderpartijtjes met ezeltje prik, koekhappen en stoelendans. En dan naar huis, eten en naar bed. Heerlijke tijden breken voor moeders aan. Nooit meer om vijf uur opstaan om twintig Kabouter Plop-mutsjes te plakken en met zelfgebak-ken cakejes te vullen. Gewoon twee slingers ophangen en vijf kaarsjes in een Hemataart prikken. Nooit meer overspannen, kotsende kinderen na een overdadig feest. Hoera! Dat scheelt honderden euro's en jaren van je leven.

DAAR KOMT TIJGER- MAMA

Onze kinderen hebben wel wat beters te doen dan huiswerk maken. Gamen bijvoorbeeld en roddelen, pesten en chillen. Hoog tijd voor de tijgermoederaanpak, want het Nederlandse onderwijs gaat ten onder aan de 5,6-cultuur. **DOOR ELS ROZENBROEK**

Vlak voor de voorjaarsvakantie ging bij mijn vriendin de telefoon. Het was de Duitse leraar van haar zoon Lars, een vijftienjarige die in de derde klas van het vwo zit.

'Dag mevrouw, ik bel u even om met u te bespreken dat het niet goed gaat met uw zoon op school.'

'Dat verbaast me. Lars heeft me vanmiddag nog verteld dat hij voor alle vakken voldoende staat.'

'Dat is helaas ietwat bezijden de waarheid. Uw zoon dreigt te blijven zitten met vijf onvoldoendes. Voor mijn vak staat hij bijvoorbeeld een vier gemiddeld.'

'Dat meent u niet. Hij heeft dus tegen me gelogen.'

'Ik vrees van wel. Ik wil hem daarom in de vakantie een flinke portie huiswerk geven, zodat hij een inhaalslag kan maken. Dat is nodig als hij over wil gaan.'

'Nou, ik weet niet of dat zo'n goed idee is. We gaan naar Ibiza. En dan is het niet leuk als hij huiswerk meekrijgt. Dat verpest zijn vakantie.'

'Lars heeft gelogen en staat voor vijf vakken onvoldoende. En u vindt het *niet leuk* voor hem om hem extra taken te geven?'

Mijn vriendin heeft de leraar uiteindelijk overgehaald Lars geen huiswerk mee te geven. Het joch heeft op Ibiza relaxed op het strand gehangen. De derde klas moet hij overdoen.

Het Nederlandse onderwijs gaat ten onder aan het woordje leuk. Op basisscholen wordt meer aandacht besteed aan musicals, sinterklaas, kerstvieringen en schoolreisjes dan aan grammatica, spelling en het moeiteloos opdreunen van de tafel van negen. Op sommige middelbare scholen mogen leerlingen vanaf de vierde klas op een leerplein zelfstandig studeren met een leerpleinbeheerder als coach. Denk: een heleboel computers en lawaaierige pubers die er een potje van maken. Ze horen een werkstuk te maken of informatie te verzamelen over de Culturele Revolutie in China, maar hé, ze hebben wel wat leukers te doen. Er wordt gefacebookt en porno bekeken. Via MSN worden onzinnige mededelingen uitgewisseld. Er wordt in de buurt van de toiletten gehangen. Geschreeuwd, gegiecheld, geroddeld en gepest. Aan de zijlijn zit een toezichthouder, soms is dat een heuse docent. In het beste geval probeert hij wanhopig orde in de chaos te scheppen. In het slechtste geval heeft hij allang de moed opgegeven en kijkt hij met een verbeten trek om zijn mond proefwerken na. Die proefwerken staan vol spelfouten. Dat kan ook niet anders. De gemiddelde leraar spelt zelf niet al te best (lees de brieven die scholen rondsturen er maar op na).

Het onderwijs worstelt met een tekort aan vakbekwame docenten. En veel ouders maken er zelf een potje van. Volgens Graa Boomsma, schrijver van het boek *Uit de school – Barre ervaringen van een bevlogen docent*, klagen ze bijvoorbeeld dat hun kind te veel huiswerk krijgt ('Zo heeft ze helemaal geen tijd voor haar baantje!').

Ik sta nergens meer van te kijken, sinds ik in 2002 in het middelbaar onderwijs terechtkwam. En toch zou ik elke dag weer moeten schrikken van het niveau (van de doorsnee leerling en van te veel docenten). In vergelijking met veertig jaar geleden is het niveau gekelderd. De ulo van vroeger is meer dan de havo van nu. Het vwo haalt het niet bij de oude hbs en het gymnasium heeft het havoniveau van tien jaar geleden. Wie vindt dat ik overdrijf moet de eindexameneisen van toen en nu maar eens vergelijken.

Uit: Uit de school – Barre ervaringen van een bevlogen docent

Als ik de ervaringen van Graa Boomsma lees, lopen de rillingen me over de rug. En verbaas ik me er niet langer over dat de havomeiden die meedoen aan het tv-programma *Echte Meisjes in de Jungle* nog nooit van Nelson Mandela hebben gehoord en geen idee hebben waarom in Suriname Nederlands wordt gesproken. Ik vraag me wel af wat ze al die jaren op school hebben uitgespookt. En waar alle miljarden die we in het onderwijs stoppen in vredesnaam aan worden besteed. Aan computers waarop ze zelfstandig informatie kunnen verzamelen? Schoolreisjes? Leraren die geen kennis mogen overdragen maar *competentiegericht* onderwijs moeten geven?

In Nederland heerst een zesjescultuur, wordt vaak gezegd. Ikzelf heb het liever over de 5,6-terreur. Een kind dat zijn hele schoolloopbaan een gemiddelde van 5,6 haalt, krijgt na een paar jaar lanterfanten een einddiploma. Daarna kan het op hogeschool of universiteit relaxed doorgaan met het halen van 5,6'jes. Het zou dus zomaar kunnen dat je huisarts gedurende zijn hele opleiding genoegen heeft genomen met 5,6. Een prettig idee, wat je zegt.

Iedere docent op de middelbare school die een schriftelijke toets aankondigt, weet precies welke reactie er vanuit de klas komt. Het is deze standaardvraag: 'Meneer, is het voor een cijfer?' Voor leken moet ik dit suggestieve zinnetje vertalen. Want de door de wol geverfde docent weet wat de leerling eigenlijk wil zeggen: als het niet voor een cijfer is, en dus niet meetelt en geen gevolgen voor het rapport heeft, hoef ik mij ook minder of helemaal niet in te spannen. Of ik doe gewoon niks, ik voer geen flikker uit, want ik richt mij op een 5,6 en dat is tegenwoordig voldoende. Waarom zou ik me inspannen voor een acht? Een nerd wil ik niet zijn. Wie dan leeft, wie dan zijn minimum opnieuw becijfert.

Uit: Uit de school – Barre ervaringen van een bevlogen docent

Het erge is, ouders nemen óók genoegen met een 5,6. Als het kind maar een diploma haalt, is het allang mooi. Geen wonder. Ouders zijn zelf slachtoffers van de 5,6-terreur. Zij behoorden tot de generatie waarvan jongeren met een fantastische eindlijst over één kam werden geschoren

57

met leeftijdsgenoten die hun diploma met de hakken over de sloot hadden gehaald. Voorrang geven aan uitmuntende studenten door ze bijvoorbeeld niet mee te laten loten en rechtstreeks tot een studie toe te laten, werd nog niet zo lang geleden gezien als reactionair. 'Een kind is méér dan zijn eindcijfers', werd er beweerd. 'Cijfers zeggen niet alles.'

Inderdaad, cijfers zeggen niet alles, maar wel veel. Een uitstekend cijfer zegt dat de leerling de moeite heeft genomen de leerstof onder de knie te krijgen. Boek, pen en papier heeft gepakt en zich heeft geconcentreerd. Die inspanning mag beloond worden.

Toen begin dit jaar *Strijdlied van de Tijgermoeder* verscheen, de controversiële bestseller over opvoeding van de Chinees-Amerikaanse Amy Chua, ging er een golf van afschuw door opvoedland. De manier waarop tijgermoeder Amy haar kinderen opvoedt, grenst aan kindermishandeling, was de meest voorkomende reactie. Stel je voor, van je kinderen eisen dat ze zo goed mogelijk presteren, dat is toch niet leuk, niet gezellig? Die arme schatjes mogen niet eens computerspelletjes spelen, een baantje hebben na schooltijd, eindeloos MSN'en, in de stad hangen en shoppen tot ze scheel zien. Ze mogen zelfs niet naar slaapfeestjes!

Chinese ouders begrijpen dat iets pas leuk wordt als je er goed in bent. Om ergens goed in te worden, moet je werken – en kinderen willen uit zichzelf nooit werken, dus het is van cruciaal belang dat je ze dwingt iets anders te doen dan de dingen die ze zelf leuk vinden. Daarom is een kordaat optreden van de ouders noodzakelijk, want het kind zal zich verzetten. Het begin is altijd het moeilijkst, en daarom geven de meeste westerse ouders het dan al op. Maar als Chinese ouders het goed aanpakken, brengt hun strategie een krachtige cirkelbeweging op gang. Volhardend studeren, studeren en nog eens studeren is een voorwaarde als je wilt uitblinken (...) Als een kind eenmaal ergens in uitblinkt – of het nu pianospelen, wiskunde, honkbal of ballet is – volgen de lof, de bewondering en de voldoening vanzelf. Dat geeft zelfvertrouwen en zorgt ervoor dat de aanvankelijk niet zo leuke bezigheid leuk wordt. Zo wordt het vervolgens voor de ouders weer makkelijker om het kind nog harder te laten werken.

Uit: Strijdlied van de Tijgermoeder

Tja, kom daar maar eens om in Nederland, waar kinderen de hemel in worden geprezen als ze een uurtje huiswerk maken en een zeven halen voor een schriftelijke overhoring Frans. In onze maatschappij geven ouders hun puber excuusbriefjes mee naar school ('Onze Marjolein heeft haar proefwerk scheikunde niet kunnen leren omdat vorige week onze kat is overreden en ze daar nog erg verdrietig over is'). Wij zijn het land waar op hogescholen groepscijfers worden gegeven. Anders gezegd: studenten kunnen zich in bed nog eens omdraaien, want in hun studiegroep zitten altijd wel een paar uitslovers die zorgen dat er een voldoende wordt gehaald. Tja, zo verwerven we natuurlijk nooit die plaats in de top vijf van kenniseconomieën waarvan onze politici dromen. En is het geen wonder dat uit onderzoek blijkt dat Aziatische kinderen het hoogst scoren in leesvaardigheden en wiskunde terwijl kinderen uit westerse landen zich in de middenmoot bevinden.

Het zou geen kwaad kunnen onze kinderen een heel klein beetje te drillen à la *tigermom* Amy Chua. Zeg zelf, van de hele dag op Hyves rondhangen wordt je kind niet veel wijzer. En ook niet van een schoolreisje naar Praag dat als thema heeft bier, bier en nog meer bier. Ik hoor al morren: ja, maar het leven van onze kinderen moet toch ook een beetje leuk zijn? Zij hebben toch recht op een pleziertje op zijn tijd? Daarover zou ik me niet al te veel zorgen maken. Nederlandse kinderen behoren tot de gelukkigste ter wereld, dat zal echt niet veranderen als we hen vragen serieus hun huiswerk te maken. Of als we hen verbieden in de klas met hun mobieltje te spelen. Het is heel makkelijk om de tijgermoedertechnieken (drillen, uitstekende cijfers verwachten, pas complimenteren als het hoogste is bereikt) als overdreven weg te wuiven. Wat Amy Chua van haar dochters eist, is niet mis. Maar dan moet je ook niet klagen dat je kinderen niet vooruit zijn te branden en louter willen chillen, gamen en rondhangen op sociale media. Er is niks mis met hameren op ambitie, van je kind vragen dat het kranten en boeken leest en dat het streeft naar minimaal een acht voor een proefwerk.

Volgens *tigermom* Amy deugt er weinig van de westerse opvoedingsmethode. Zij is ervan overtuigd dat we watjes van onze kinderen maken door ze dood te knuffelen en te troosten in plaats van te straffen als het op school niet goed gaat. Zij ziet het als haar heilige taak haar dochters voor te bereiden op de competitieve maatschappij waarin ze later hun weg moeten vinden.

Dat is nu het verschil tussen een hond en een dochter, dacht ik later bij mezelf. Als een hond iets doet wat élke hond kan – zoals zwemmen – prijzen we hem uitbundig. Hoeveel makkelijker zou het niet zijn als we net zo met onze dochters omgingen? Maar dat kan nu eenmaal niet; dat zou nalatig zijn.

Uit: Strijdlied van de Tijgermoeder

Sophia Chua-Rubenfeld, de achttienjarige dochter van Amy Chua, staat overigens helemaal achter haar moeders opvoedingsmethode. In de vooraanstaande krant *New York Post* schreef ze een stuk waarin ze haar moeder verdedigt tegen de kritiek waaraan zij sinds het verschijnen van haar boek blootstaat. Sophia zegt in een brief aan haar moeder dat haar *tough love*-opvoedmethode haar heeft geholpen een onafhankelijke denker te worden, die niet bang is voor uitdagingen.

Het probleem is dat veel mensen je humor niet begrijpen. Ze veronderstellen dat mijn zusje Lulu en ik worden onderdrukt door een kwaadaardige heks. Dat is niet waar. Om de dinsdag bevrijd je ons van onze boeien en mogen we even wiskundegames spelen in de kelder. Maar alle gekheid op een stokje: buitenstaanders weten niet hoe het werkelijk toegaat in ons gezin. Ze horen ons niet lachen om elkaars grappen, ze weten niet hoeveel lol we hebben als we met ons zessen – ook de honden – in één bed kruipen en kibbelen over welke film we willen zien op dvd. Ik geef toe: jou als moeder hebben is geen feestje. Ik was graag vaker bij vriendinnetjes gaan spelen en had best minder pianolessen willen hebben, maar nu ik achttien ben en op het punt sta de tijgerkooi te verlaten, ben ik dankbaar voor de manier waarop papa en jij me hebben opgevoed. Ik vind het fijn dat ik heb geleerd naar het uiterste van mijn potential te streven. Ik ben blij als ik na uren en uren oefenen eindelijk een muziekstuk perfect kan spelen op de piano. Ik ben blij als ik iets bereik waarvan ik nooit had gedacht dat ik het zou kunnen. Als ik morgen doodga, weet ik dat ik alles uit mijn leven heb gehaald. En daarvoor wil ik jou, mijn tijgermoeder, bedanken.

Uit: New York Post

DOOD-KNUFFELEN & KAPOT VERWENNEN

1 GA VAN DAT KIND AF **2** KRIJG IK OP OMA'S BEGRAFENIS OOK EEN CADEAUTJE?
3 EEN BEETJE MINDER LIEFDE S.V.P. **4** KOM MAAR BIJ MAMMIE **5** EET JE BORD LEEG

GA VAN DAT KIND AF

Hoezo, te weinig aandacht? Onze kinderen stikken erin. Met alle gevolgen van dien: angstige of juist agressieve kinderen met een opgezwollen ego.

DOOR DAPHNE HUINEMAN

You take them home to a nanny, buy off your guilt with toys and candy (Anouk, *Modern World*). Waarom erger ik me dood, elke keer als ik dit liedje hoor? Niet omdat het negatief en moralistisch is, want dat ben ik zelf ook zo vaak. Nee, het is die ene regel die me in het verkeerde keelgat schiet: *buy off your guilt with toys and candy*. We geven onze kinderen te weinig aandacht heden ten dage, is de boodschap van Anouk. En van velen met haar.

'Waarom neem je dan kinderen?' wordt er gezegd als je naar andermans smaak je nageslacht een dag te vaak bij een oppas brengt, of als je zo nodig denkt te moeten gaan scheiden (alsof je met dat scenario in je hoofd bent getrouwd). Het is de Hollandse betweterigheid ten top. Niemand die in opstand lijkt te komen tegen dit gepreek. Sterker nog, mijn reactie is er ook een van schuld en schaamte. Mijn kinderen willen altijd meer van me dan ik ze kan geven. Terwijl ik dit schrijf – met mijn laptop verstopt op zolder naast een brullende wasdroger – komt mijn zoon van drie me zoeken met tien dino's in zijn armen. 'Wat doe je?' vraagt hij. Dat ziet hij dondersgoed, maar hij toont geen genade en zet z'n schattigste stemmetje op: 'Wil je met me spelen? Alsjeplease!' Ik zeg nee, en krijg acuut buikpijn.

Er lijkt een soort algemeen heersende mening te zijn dat wij moeders (vaders blijven meestal buiten schot) zo druk zijn met ons werk en onszelf dat we niet genoeg aandacht aan onze kinderen besteden. In elk geval véél minder dan vroeger. Is dat echt zo? Wetenschappelijk onderzoek wijst nadrukkelijk in een andere richting. Suzanne Bianchi, professor sociologie aan de University of Maryland, kan haar verbazing niet onderdrukken in haar verhandeling *Maternal employment and time with children, dramatic change or surprising continuity?* Sinds vrouwen met jonge kinderen massaal zijn blijven werken in de jaren negentig, zijn ze gemiddeld méér tijd met hun kinderen gaan doorbrengen. En ook nog eens meer 'kwalitijd'. Hoe kan dat? Een van de voornaamste conclusies van Bianchi: overschat de aandacht die ouders vroeger voor hun kinderen hadden vooral niet. Je ruikt de geur van versgebakken koekjes al als je aan je oma denkt, maar met de realiteit heeft het weinig te maken. Oma had zeven kinderen en beschikte niet over een wasmachine of magnetron. Hoe druk moeders ook zijn, ze doen er tegenwoordig alles aan om zo veel mogelijk tijd met hun kinderen door te brengen, aldus Bianchi.

Op de basisschool van mijn dochter worden de ouders geacht tien knutselochtenden te begeleiden. En wie zie ik daar druipen van de ecoline? Een topadvocate, die types van het kaliber Holleeder verdedigt. Het hoofd recruitment van een groot bedrijf priegelt met strijkkralen. En een juriste bij een bank staat wild wortels te hakken voor de huzarensalade. Het is niet eens hun mamadag, maar vrouwen regelen dat gewoon (mannen kunnen meestal ab-so-luut niet). In april van dit jaar publiceerde Oxford-sociologe Oriel Sullivan een onderzoek waaruit blijkt dat Engelse ouders – werkend of niet – spectaculair veel meer *quality time* besteden aan hun kinderen dan een generatie geleden. Vaders vijf tot tien (!) keer zo veel, moeders stegen van 51 naar 86 minuten exclusieve aandacht per dag. Hoe hoger hun opleiding, hoe meer aandacht hun kinderen kregen.

De kindertijd is in één generatie radicaal veranderd. Ook kinderen van thuismoeders zitten inmiddels massaal op peuterspeelzalen, bij oppassen en au pairs. En dat is helemaal niet zo erg. Wat pas echt traumatiserend is voor kinderen, zo blijkt uit Amerikaans onderzoek, is gebrek aan geld. Met een half miljoen Nederlandse kinderen dat in armoede opgroeit, is dat misschien meer iets om ons zorgen over te maken dan over de noodzaak dat ouders permanent aanwezig zijn. De voorzichtige consensus in de wetenschap is dus een heel andere dan die in de media, in liedjes en op straat: vrouwen met een eigen leven moeten daarmee vooral dóórgaan. Zonder schuldgevoel.

Natuurlijk, dit zijn abstracte onderzoeken, die niets zeggen over de situatie in een individueel gezin. En het is altijd goed om kritisch naar je rol als ouder te kijken. Verder zijn er in Nederland tienduizenden kinderen die ernstig aandacht tekortkomen of emotioneel worden verwaarloosd. Je kunt je alleen afvragen welke kinderen dat zijn. In de middenklassegezinnetjes om me heen zie ik heus wel verdriet, maar geen ernstige misstanden. Dat was anders toen ik voor LINDA. op zoek ging naar kinderen uit arme gezinnen. Ook daar veel stabiele, liefdevolle gezinnen, maar ook schrikbarend veel misère. Kinderen zonder schooltas, zonder fruit in huis, met analfabete, verslaafde, psychotische moeders die apathisch voor de tv lagen. Schrijf daar eens een liedje over, Anouk.

In 1915 stond de Amerikaanse overheid voor een raadsel. Negentig procent van de baby's die in weeshuizen terechtkwamen, bleek vóór het tweede levensjaar te sterven. Voedsel en hygiëne waren goed, hoe kon dat dan? De baby's gingen dood doordat ze niet werden aangehaald, werd na uitgebreid onderzoek duidelijk. Zonder liefdevolle aandacht ontwikkelen de hersenen en het centraal zenuwstelsel zich gebrekkig. Als babyaapjes moeten kiezen, kruipen ze liever tegen iemand aan dan dat ze melk krijgen. Aandacht is net zo belangrijk als voedsel, en een gebrek eraan even dodelijk. Maar net als met eten kun je er ook te veel van krijgen. En dat is nu het punt: aandachts-obesitas dreigt in de westerse wereld een grotere kwaal te worden dan verwaarlozing. *Hyperouders* noemt ontwikkelingspsycholoog Steven Pont de verzorgers die de wereld vooral zien als een plek vol gevaar. Symptomen van overbeschermde kinderen: bangelijkheid, onzekerheid, onzelfstandigheid, verlegenheid en een slechte motorische ontwikkeling.

'Hyperouders redden hun kind nog voordat het in de problemen is. En dat is precies het probleem', stelt Pont in *de Volkskrant*. Ook in Amerika is deze theorie doorgedrongen. Daar dreigt een hele generatie Woody Allens te ontstaan, wandelende paniekstoornissen, die met pillen en therapeuten door het leven moeten worden gesleept. Harvard luidde onlangs de noodklok over de watjes op de campus. Hoe moeten zij een loopbaan met alle mogelijke tegenslagen aankunnen als hun mentale weerbaarheid nul is?

De voornaamste oorzaak van het lage incasseringsvermogen van onze kinderen? Wij zitten er veel te veel bovenop. *Je wilt zo graag haar jeugd bewaren, en haar veel verdriet besparen,* zongen Willy en Willeke Alberti al in 1982 (*Niemand laat zijn eigen kind alleen*). Maar een beetje tegenwind in een leven, ook in de vorm van gemiste aandacht, is misschien helemaal niet zo slecht in een jeugd die verder hoogstwaarschijnlijk zonder honger, oorlog, verlies, ziekte of andere ellende zal verlopen. 'Je hebt geen idee met hoeveel krankzinnige smoezen ouders aankomen tijdens toetsweken en eindexamentijd', zegt een lerares Engels op een kakkineus lyceum bij mij om de hoek. 'Of we alsjeblieft het mondeling kunnen verzetten want hun kind durft die dag niet. En na een proefwerk komen ze verhaal halen: mag hij het nog eens over doen, hij had een black-out. Die ouders maken van hun doodnormale, warrige, luie pubers een soort neurotische wrakken. Laat ze toch eens lekker op hun bek gaan. Dat hoort erbij.'

Mmm, dat raakt wel een snaar bij mij. Ik zie ook overal trauma's op de loer liggen. Het liefst zou ik mijn dochter met helm, nee, volledig in harnas op de fiets zetten. En na haar aanhoudende geklaag over de naschoolse opvang werk ik nu een middag minder per week. Mijn man vindt het waanzin: 'Nou, dan baalt ze maar. Ze moet ook leren omgaan met minder leuke dingen.' Maar ja, ik voelde me schuldig en vond het zielig. En dus zit ik nu na een middag vijf keer het K3 Rond de Wereld-spel te hebben gespeeld en koekjes te hebben gebakken, tot laat in de donderdagavond mijn gemiste werkuren in te halen. Terwijl mijn man in zijn uppie een glas wijn drinkt. Waardoor ik me óók alweer schuldig voel.

Een peuter zegt: 'Eén plus twee is drie.' Wat zegt de gemiddelde ouder? 'Goed zo, jij bent slim!' Hij krast wat met een stift op papier en roept: 'Kijk, een tijger!' Wat zegt de gemiddelde ouder: 'Oh, jij kan mooi tekenen!' Fout, fout, fout. Dit soort loze kreten veroorzaken een opgezwollen ego, verder niets. Het resultaat daarvan zien we wekelijks op tv bij *X Factor* en *Idols*. Kinderen komen verbijsterd de auditieruimte uit, nadat ze volledig zijn afgebrand door de jury. Hun hele leven is hen door hun ouders verteld dat ze geweldig konden zingen.

Narcistische kinderen die op niets af denken dat ze Heel Speciaal zijn, vertonen meer agressie dan kinderen met een laag zelfbeeld, stelde de Nederlandse ontwikkelingspsycholoog Sander Thomaes in zijn proefschrift *Narcissism, Shame, and Aggression in Early Adolescence: On Vulnerable Children*. Ouderlijke aandacht spitst zich tegenwoordig niet alleen veel te veel toe op beschermen, uit de wind houden en het zelfbeeld opblazen, ze is ook veel te veel gericht op prestaties. Zelf kijk ik niet meer naar de judotraining van mijn zoon. Niet alleen omdat hij anders bij elk wissewasje huilend naar me toe komt rennen, maar vooral omdat ik mezelf dingen hoorde schreeuwen als 'Duw dan terug, kom op, gooi 'm neer!' Best treurig, het kind is drie. (Best krankzinnig ook dat hij op deze leeftijd al op judo zit.)

'Ouders die bij ons een elftal trainen, geven vaak hun eigen kind een extra goede beoordeling en anderen een extra slechte. Zo verhogen ze de kans dat hun kind het komende seizoen in een beter elftal wordt ingedeeld. De sfeer bij ons is hierdoor inmiddels dusdanig verziekt, dat we een professionele mediator hebben moeten inhuren om alle ruzies te beslechten', vertelt een vriendin die in het bestuur van een hockeyclub zit. 'Elke zes weken, als we bepalen wie er gaat afzwemmen, moet ik me weer eindeloos verantwoorden bij ouders die willen weten waarom hun kind er nog niet aan toe is', vertelt een zwemlerares. 'Wat willen ze nou, dat het verdrinkt met een A-diploma op zak?' En op de basisschool van mijn dochter is de Cito-eindtoets afgeschaft. De hysterie eromheen was lichtelijk uit de hand gelopen. Dat is misschien te begrijpen als een school zwak is, maar deze hoort bij de best presterende van Nederland.

Ja, maar hoe moeten we onze kinderen dán stimuleren? Dit is nu toch eenmaal een prestatiegerichte tijd? Door de inspanning te prijzen en niet alleen het resultaat, vindt Sander Thomaes. De mate van inspanning kunnen kinderen immers zelf bepalen, het resultaat niet altijd. Als kinderen telkens voelen dat ze moeten scoren, vormt elke nieuwe situatie een bedreiging en presteren ze meteen minder goed. Twee simpele Amerikaanse experimenten toonden dat onlangs haarfijn aan. Een groep kinderen werd in tweeën gesplitst. Alle proefpersonen moesten dezelfde, veel te makkelijke, puzzel maken. De ene groep (prestatie-georiënteerd) kreeg na afloop complimenten te horen in de trant van: 'Geen fouten. Heel slim van jullie.' De andere groep (leer-georiënteerd) hoorde: 'Wat hebben jullie goed je best gedaan.' Toen de kinderen vervolgens zelf een nieuwe puzzel moesten kiezen, greep de eerste groep weer naar een te makkelijke puzzel. Die kinderen voelden blijkbaar dat ze weer moesten scoren. De tweede groep echter greep naar een moeilijke puzzel: de kinderen hadden wel zin in een uitdaging. Vervolgens kregen beide groepen een veel te moeilijke puzzel voorgelegd. De prestatiegerichte groep gaf het al snel op. 'Ik kan dit niet', klonk er. De leergeoriënteerde groep probeerde welgemoed allerlei strategieën uit en zat er niet zo mee dat de puzzel te ingewikkeld was. Durven falen, het is een van dé voorwaarden voor succes en geluk.

Alle onderzoeken, deskundigen en trends op een stokje: hoeveel juiste, positieve, oprechte, liefdevolle, individuele aandacht heeft een gemiddeld kind op de basisschool nou van zijn ouders nodig per dag? Geen specialist uit mijn netwerk die er officieel zijn handen aan wil branden. Ik mail alle -logen, -gogen en -peuten nog eens en vraag ze naar hun persoonlijke mening, met de bezwering dat ze anoniem zullen blijven. Weer die zwijgzaamheid, of: 'Ik ben te zeer gehinderd door mijn wetenschappelijke kennis om een pakkende, generaliserende oneliner voor LINDA. te produceren.' Pfff: Watergate is makkelijker aan het licht gebracht.

Dan meldt zich op de deadlinedag een dappere deskundige: 'Ik denk dat je er op weekdagen of werkdagen met een half uurtje per kind wel bent. Samen een puzzel maken en nog een boekje lezen lijkt me voldoende.' Ik toets zijn mededeling aan de rest van het panel. Opeens reageren er meer, en positief: 'Dat lijkt me een redelijk uitgangspunt, mits je als ouder nog wat meer uren per dag in het zicht bent', 'Twintig minuten is ook goed'. Eén deskundige probeert de boel nog op te rekken naar een uur, maar die is sowieso altijd lang van stof, dus dat telt niet.

Een half uur tafelvoetballen, tekenen, Wii'en, winkelen, kletsen per kind per dag, daar kunnen we wat mee als schuldbewuste hyperouders. Mijn kind kan gewoon weer lekker naar de naschoolse opvang op donderdag.

KRIJG IK OP OMA'S BEGRAFENIS OOK EEN CADEAUTJE?

Denk maar niet dat je kind gelukkiger wordt van al die cadeautjes, verre vakanties, clubjes en feestjes. En het maakt hem zeker geen leuker mens.

DOOR JOLANDA AAN DE STEGGE

Vijfjarige Tom heeft zijn Albert Heijn-smurfen in één week bij elkaar verzameld. Hoewel verzamelen een groot woord is in dit geval. Van alle kanten kreeg hij ze in de schoot geworpen, zegt Wouter, zijn vader. 'Niet alleen wij brachten ze mee, maar ook opa, de werkster en zelfs de overburen. Goed bedoeld hoor, maar hij heeft er geen enkele moeite voor hoeven doen.' Aan zijn eigen verzameling van vroeger bewaart Wouter goede herinneringen. Het duurde eindeloos voordat hij zijn voetbalplaatjes bij elkaar had gesprokkeld. Wekelijks legde hij zijn beetje zakgeld bij elkaar en soms verlangde hij zo naar volle voetbalalbums dat hij in de buurt wat bijverdiende met klusjes. Lang niet alle elftallen kreeg hij compleet, maar het verlangen daarnaar hield hem een tijdlang in de greep. Hij vond het dan ook leuk toen AH de smurfenactie lanceerde. Maar amper een week later bezat zoonlief alle figuurtjes en was het uit met de pret.

Zo rond 6 december kun je Nora (9) opvegen. Haar moeder trouwens ook. Tegen die tijd hebben zij er zo'n acht sinterklaasfeesten opzitten, want waar wordt dat tegenwoordig niet gevierd? Op school, thuis, op papa's werk, bij mama in het ziekenhuis, bij de wederzijdse opa's en oma's, in de bibliotheek, op zwemles. En dan gaan ze niet eens op alle uitnodigingen in. Nora's moeder háát december. Bovendien kondigt kerst zich onmiddellijk na Sint in alle hevigheid aan. Dat betekent opnieuw in overvolle winkels overbodige onzin inslaan voor volwassenen en kinderen die alles al hebben.

Of neem een doorsnee verjaardag of kraamfeest. Wie tegenwoordig alleen een cadeautje meeneemt voor het feestvarken is een uitzondering. Ook het broertje of zusje wordt rijkelijk bedeeld, want stel je toch eens voor dat die zich buitengesloten voelen. Dat wil geen mens op zijn geweten hebben. Cadeautjes krijgen alleen met Sinterklaas en op je eigen verjaardag is een volstrekt achterhaald concept. Ieder rapport wordt beloond met geld. Komt oma op bezoek, dan brengt ze iets mee. De bij elkaar gebedelde snoepzak van Halloween is nog niet leeg of Sint Maarten dient zich aan. Van medio november tot pakjesavond wordt de schoen gezet, waarna de cadeauberg onder de kerstboom weer uitdijt. We gaan zomaar weekendjes weg en brengen spontane bezoekjes aan bioscoop, pretpark en kermis. De saaie weken van vroeger zijn aaneengeregen tot een kleurige ketting vol hoogtepunten, snoep en cadeaus. Geld moet rollen en voor onze kinderen is het alle dagen feest.

Een enkele keer begint het te knagen. Als je dochter van dertien verveeld vraagt of er het komend weekend nog iets spannends op het programma staat. Wanneer een vriendje van je zoon de koelkast openrukt en geïrriteerd vraagt waar de cola is. Als je onthutst constateert dat je puber alweer rood staat halverwege de maand, terwijl zij met kleedgeld en bijbaantjes toch bijna tweehonderd euro te besteden heeft.

Kinderpsychologen trekken al jaren aan de bel. Vanaf je jongste jeugd zonder enige aanleiding zo veel spullen krijgen, is niet goed voor een kind. Het raakt ervan in de war omdat het hem leert dat het in het leven draait om wat hij heeft in plaats van om wie hij is en wat hij met zijn talenten doet. Opvoedprogramma's op televisie herbevestigen keer op keer dat het níéts met materie te maken heeft of een kind een aardig, sociaal mens wordt. Integendeel zelfs. En toch hebben we praktisch allemaal thuis een Bart Smit- of Dixonsfiliaal.

Kijk rond op de eerste de beste school en je ziet hordes leerlingen die de entertainment- en goederenstroom die op hen afkomt als de normaalste zaak van de wereld beschouwen. Gekleed in merkkleding en voorzien van het nieuwste mobieltje laten pubers zich erop voorstaan welk continent zij dit jaar in de zomervakantie aandoen. Op je vijftiende naar Thailand of Australië? Je zoon is allang niet meer de eerste in zijn klas, geen klasgenoot die ervan opkijkt. Tenzij ze tot de grote groep Nederlanders behoren die met heel veel minder moet zien rond te komen.

Met de regelmaat van de klok publiceert het Nationaal Instituut voor Budgetvoorlichting (Nibud) een alarmerend rapport over de jeugd. Onlangs was het weer raak. Steeds meer jongeren raken financieel in de problemen. Een aantal van hen is zo gewend aan luxe dat ze in de verste verte niet kunnen rondkomen van hun eerste salaris. Dat leidt soms tot wonderlijke voorvallen. Zoals de arbeidskracht van zeventien die zijn baas na twee dagen meedeelde dat hij alleen terug zou komen als zijn salaris zou worden verdubbeld. Of net afgestudeerden die binnen veertien dagen informeren hoe het zit met hun promotie.

Gabriëlla Bettonville, woordvoerster van het Nibud: 'Veel jongeren gaan leningen aan zonder zich erom te bekommeren of ze die wel kunnen aflossen. Sommigen hebben geen idee hoeveel ze maandelijks te besteden hebben en weten ook al niet waaraan ze hun geld uitgeven. Ze geven smakken geld uit terwijl ze denken: binnenkort heb ik die baan en komt het wel goed. Helaas gaat het in de praktijk vaak anders.' Het Nibud bepleit een goede financiële opvoeding. Geef je kind vanaf een jaar of zes wekelijks wat zakgeld. Begin met een klein bedrag, een euro per week of zo. En spring vooral niet bij als het geld op is. Zo leert je kind zijn wensen af te stemmen op zijn budget. Het instituut adviseert ouders maandelijks een vast bedrag aan zak- en kleedgeld over te maken aan hun puber. Help je kind bij het plannen van zijn uitgaven en geef informatie over sparen en lenen. Bettonville: 'Leer je kind dat reclames hem altijd proberen te verleiden geld uit te geven. Als een kind geraffineerde verkoopstrategieën doorziet, vermindert dat de kans dat hij als volwassene financiële problemen krijgt.' Niks nieuws onder de zon. Grote vraag is: wat doe je ermee? De verleiding je eigen kind geld toe te stoppen, zomaar die dure jurk voor haar te kopen of zijn beltegoed aan te vullen, is onverminderd groot. Waar werk je anders voor? Hij heeft het verdiend. Bovendien heb je de laatste tijd ook niet echt veel aandacht aan hem/haar besteed. Toch?

Anderhalf jaar geleden was Yvonne Tourdio (43) helemaal klaar met alle cadeaus die haar vier dochters meestal zonder enige aanleiding kregen. Het inzicht dat haar kinderen verwend en blasé waren, sloeg in als een bom toen er een vriendinnetje op bezoek kwam dat overal enthousiast op reageerde. Dat onder de indruk was van hun ongekende berg speelgoed, de boterhammen lekker vond en bedankte voor de limonade. Zij en haar man besloten toen acuut: het roer moet om. 'Eigenlijk hadden we het eerder kunnen zien aankomen,' zegt ze achteraf, 'want wie er ook langskwam: iedereen bracht wat mee. En iedereen probeerde verrassend uit de hoek te komen.' Zelf deed ze daar ook dapper aan mee. 'Neefjes, nichtjes, de kinderen van vrienden: ik had altijd wat leuks bij me. En zag ik iemand niet zo vaak, dan werden het al snel wat grotere cadeaus.' Maar altijd feest betekent nooit meer feest, realiseerde Tourdio zich vorig jaar. Als je om de haverklap zomaar een cadeautje krijgt, verliest dat zijn glans. 'Een kind dat veel snoept, wordt dik. Een puber die te veel zuipt wordt dronken. Maar aan een kind dat wordt doodgegooid met spullen, zie je niks. Tot het op een dag tot je doordringt dat jouw kind overal blasé op reageert. Ik hoor mijn dochtertje nog aan me vragen: "Krijg ik op de begrafenis van oma ook een cadeautje?"' De Tourdio's besloten van het ene op het andere moment niet meer zomaar cadeaus aan hun kinderen te geven. Zij vroeg wederzijdse familie en vrienden of ze bij bezoekjes asjeblieft niets meer wilden meenemen. Bij verjaardagen: alleen een kleine(!) verrassing, uitsluitend voor de jarige. 'Niet iedereen vatte het positief op,' zegt ze nu, 'maar bij de meesten viel het in goede aarde. Kennelijk was ik niet de enige bij wie de ergernis hierover de kop opstak.'

Zeker in een wereld waarin het cool is om alles maar goed te vinden en toe te juichen, wordt nee zeggen tuttig gevonden. Natuurlijk mag jouw kind van veertien die breezer, uitgaan tot twee uur 's nachts, ongelimiteerd computeren en televisie kijken. Nee zeggen is voor conservatieven en daar horen wij niet bij. Wij zijn die joviale vader en moeder, vriend en vriendin van ons kind. En vrienden beteugel je niet. Bovendien koop je als ouder veel af. Want wees eerlijk, het is aantrekkelijk om een conflict met je kind uit de weg te gaan en te kiezen voor rust. Zeker aan het eind van de dag.

'In deze tijd willen we ons kind almaar tevreden houden,' zegt de Maastrichtse kinderpsychologe Paulien Kuipers. 'Dat betekent dat we er alles aan doen om boosheid en woede-uitbarstingen te voorkomen. Wij ervaren onszelf als een goede ouder als ons kind lief en tevreden is. We zijn niet blij met zijn boze buien. Dat geeft het kind een machtspositie, want met zijn gedrag kan hij zijn ouders sterk beïnvloeden. Vroeger zeiden we: doe dat maar niet, want wat zullen de buren ervan denken. Tegenwoordig zeggen we: doe maar wel, straks denken de buren nog dat we ons kind niet alles gunnen.'

We willen als ouder dat ons kind alle kansen krijgt. Daarom gaat hij naar meerdere clubjes. Daarom nemen we hem mee naar musea en landen die tien uur vliegen van ons vandaan liggen. Als het zijn ontwikkeling maar ten goede komt, is niets te dol. Door dat enorme aanbod van prikkels komen kinderen niet meer toe aan het verwerken van alle indrukken. Bijvoorbeeld door een dagje te niksen, te dromen, zich te vervelen, door eens met zichzelf te worden geconfronteerd. Kinderen weten daardoor steeds minder van hun binnenkant. Kuipers: 'Waar haal je tegenwoordig nog je zelfvertrouwen vandaan? De buitenkant is zo belangrijk geworden dat de meeste mensen niet meer bij hun binnenkant kunnen komen. Ik zie steeds meer kinderen die al op jonge leeftijd van zichzelf zijn vervreemd. Dat leidt tot enorme problemen.'

Kinderen die te veel mogen, ontwikkelen rare strategieën en vertonen wangedrag, zegt ze. 'Zij creëren hun eigen veiligheid door zich af te schermen. Door zich bijvoorbeeld te verliezen in drugs en drank of computerspellen. Die kinderen kunnen niet rustig zichzelf zijn, de wereld is te groot voor hen.'

En hoe moet een kind dat nooit gefrustreerd of teleurgesteld raakt, problemen oplossen en teleurstellingen verwerken? Hoeveel doorzettingsvermogen verwacht je van jouw kind als jij hem bij alles wat hij doet complimenteert en overlaadt met cadeautjes? 'Geef als ouder grenzen aan', zegt Kuipers. 'Grenzen bieden veiligheid. Een kind dat alles mag en nooit nee te horen krijgt, mist veiligheid, en zonder veiligheid kan een mens niks.' Jammer is het wel, dat wij al die verveelde en verwende kinderen zelf hebben gecreëerd. Mooi is wel weer dat wij ook degenen zijn die onmiddellijk kunnen stoppen met ons toegeeflijke gedrag. Dus, vanaf nu: alleen nog maar cadeautjes op verjaardagen en met sinterklaas. En mocht je plots overvallen worden door overweldigende liefdesgevoelens, geef je kind dan een extra dikke knuffel en doe samen wat leuks.

EEN BEETJE MINDER LIEFDE S.V.P.

Als je elk probleem voor je kind oplost, moet je niet raar opkijken als het een huilebalk wordt. Of een narcist die denkt dat hij op aarde is om geprezen te worden. Het moderne opvoedmotto: 'Een goede ouder frustreert zijn kind'.

DOOR JOLANDA AAN DE STEGGE

Zomaar een doordeweekse avond op een Montessorischool. Op uitnodiging van het schoolhoofd legt een trainer aan de ouders uit wat een kind vanaf een jaar of vier allemaal zelf kan. Dat is best veel. Als er één schooltype is dat de zelfstandigheid van de leerlingen hoog in het vaandel heeft, is dat wel het onderwijssysteem van Maria Montessori. Haar motto was honderd jaar geleden niet voor niets 'Help kinderen het zelf te doen'. Uit de vragen en opmerkingen blijkt die bewuste avond echter dat de meeste ouders nog niet toe zijn aan zulke zelfstandige koters. Ze regelen liever zelf alles voor hun kind. Kleren worden klaargelegd, de boterhammen gesmeerd en de fiets wordt alvast met het stuur in de goede richting klaargezet. Trots roept een moeder dat zij haar kind nog nooit alleen naar school heeft laten gaan. Dat haar dochter bijna twaalf is en op een steenworp afstand woont, leidt niet tot protest. Er klinken instemmende geluiden. Zit daar even een goede moeder.

Hoe minder kinderen, hoe drukker we ermee zijn. Want tjonge, waar moet een kind vandaag de dag niet allemaal aan voldoen? Leuk moet het zijn, en vlot. Sociaal, met een aardige vriendenclub. Niet te geremd, maar ook weer niet te brutaal. Een beetje hulpvaardig zo op zijn tijd, maar zeker niet serviel. Sportief graag, maar niet te streberig. Geestig zou fijn zijn, maar dan weer niet van dat grove. Kortom, ga d'r maar aan staan. Als je jezelf geen halt toeroept, ben je de hele dag met dat ene kind in de weer.

Omdat we er zo zielsveel van houden en het zo graag gelukkig zien.

Via de media horen we bovendien permanent zulke dramatische berichten over de Nederlandse jeugd, dat we graag een vinger aan de pols houden. Zuipen ze zich geen coma, dan worden ze wel gepest of vallen in de handen van een loverboy. Hét toverwoord in de hedendaagse opvoeding is daarom weerbaarheid. Tik het woord in op Google en je kunt je hart ophalen op tientallen sites.

In deze tijd moeten kinderen boven alles weerbaar zijn. Want een weerbaar kind durft positie in te nemen. Het kent zijn grenzen, weet wat het wil, laat zich de kaas niet van het brood eten, maar houdt ook op een goede manier de grenzen van anderen in het oog. Een weerbaar kind laat zich niet inpalmen door griezels op internet, ontwikkelt geen eetstoornis en laat zich niet meeslepen door de eerste de beste trend. Nee, een weerbaar kind durft voor zichzelf op te komen en blijft ook onder lastige omstandigheden standvastig. Maar hoe maak je jouw kind weerbaar?

'Door een kind met moeilijkheden om te leren gaan', zegt ontwikkelingspsycholoog en *Het Parool*-columnist Steven Pont. 'Er zijn tegenwoordig steeds meer hyperouders, mensen die hun kinderen overbeschermen en alle narigheid bij hen weg willen houden. Het lijkt wel of ouders denken: als ik het levenspad van mijn kind effen en alle obstakels wegneem, kan het op academisch, sportief of sociaal gebied tot grote hoogte reiken. Maar een kind ontwikkelt zich alleen maar als het met moeilijkheden en tegenslagen kan omgaan. Veel ouders kweken kinderen die niet zijn opgewassen tegen de kleine en grote teleurstellingen waarmee het leven nou eenmaal is geplaveid.'

Met andere woorden: een kind moet niet altijd zijn zin krijgen. Niet alles krijgen wat hij wil. Niet altijd in het middelpunt van de belangstelling staan. Kinderen moeten leren omgaan met pech, want anders raken ze bij de eerste de beste tegenslag van de kook.

Neem Bart. Toen hij jaren geleden op de basisschool begon, was hij een gewoon jongetje van vier. Inmiddels is hij een tamelijk ongewoon ventje van elf. De meeste kinderen, ook degenen die niet bij hem in de klas zitten, vinden hem stomvervelend. Bart is een zeurpiet pur sang. Zijn moeder trouwens ook. Een dag niet gehuild is een dag niet geleefd, lijkt hun familiespreuk. En er valt nogal wat te huilen op een doorsnee schooldag. Struikelen over zijn veter, een kleutertje dat tegen hem aanbotst, een bal tegen zijn rug, een verloren knikker: daar zijn ze weer, de tranen. Huilt Bart niet, dan is hij wel boos of verongelijkt. Volgens hem hebben andere kinderen het altijd op hem gemunt. Zijn moeder denkt er hetzelfde over. Meermalen per week komt zij verhaal halen op school. Dan krijgt juf de wind van voren. Bart wordt immers belaagd en gepest. Híj doet niks, het zijn altijd de anderen. Vindt zijn moeder.

Dat is wat je vaak ziet, zeggen kinderpsychologen. Ouders die alles willen oplossen voor hun kind. Ieder verdrietje, ieder ruzietje wordt tot vervelens toe doorgesproken. Laat die kinderen toch. Laat ze zelf die ruzie met dat klasgenootje uitvechten. Daar leren ze van. Het vergroot hun eigenwaarde als ze erachter komen dat ze hun eigen problemen kunnen oplossen. Daar worden ze sterker van. Een kind dat bij iedere tegenslag bij het handje wordt genomen, kan daar twee dingen uit oppikken, zegt Pont. Ofwel hij denkt: als er wat is, moeten er hulptroepen bijgehaald worden. Mijn ouders hebben zo weinig vertrouwen in mij, kennelijk ben ik niet in staat mijn eigen boontjes te doppen. Deze kinderen krijgen een te laag zelfbeeld. Die worden heel kwetsbaar. Of zo'n kind leert: er hoeft mij maar iets te overkomen of de halve wereld springt in de houding om mij te ontzien. 'Een kind dat dit eruit pikt, krijgt een verhoogd zelfbeeld. Dat gaat de narcistische kant uit.'

Vroeger ging opvoeding over het bijbrengen van discipline en fatsoen. Dat leerde je thuis, op school en in de kerk. Heldere tijden waren het, met een sterke gemeenschapszin en een flinke sociale controle. Maar sinds de jaren zestig gaat opvoeding over persoonlijke ontwikkeling, en dat is stukken lastiger. Want wat ís persoonlijke ontwikkeling? Daarmee betreed je een veel diffuser gebied. Pont: 'Fatsoen was gemakkelijk meetbaar. Het kwam erop neer dat je netjes gekleed was en met twee woorden sprak. Maar tegenwoordig is de vraag: ben jij wel jouw optimale zelf? In dat soort termen praten we en dat is andere koek. Want wat is nou jouw optimale zelf? Het legt nogal een claim op ouders om dat bij hun kind naar boven te krijgen.'

Opvoeding gaat niet meer over het bevredigen van onze basisbehoeften. Wanneer die zijn bevredigd, dienen zich vanzelf nieuwe aan. Geen enkele Vietnamese boer maakt zich er zorgen over of zijn hoogbegaafde kind wel voldoende wordt uitgedaagd op school. Hij is dik tevreden als het voldoende te eten krijgt. Pas wanneer dat allemaal geregeld is, zoals bij ons, gaat hij een treetje hoger. En op een zeker moment kom je dan uit op het vinden van je optimale zelf. Daardoor, zegt Pont, is tegenwoordig de helft van de kinderen in een klas hoogbegaafd en heeft de andere helft ADHD of een leerstoornis. Er zijn nu veel minder 'gemiddelde kinderen' dan in 1950. Hij constateert een toename van het aantal narcisten op jonge leeftijd. 'Dat zijn kinderen met een overmatig opgeblazen zelfbeeld. Jongeren die denken dat ze beter zijn, belangrijker zijn en meer kunnen dan in werkelijkheid het geval is. Zij hebben een zelfbeeld dat niet overeenkomt met de realiteit. Ze zijn van mening dat zij nooit fouten maken, maar dat iedereen om hen heen dom is, en dat zij worden omringd door anderen die het altijd verkeerd doen. Dergelijke uitwassen zie je steeds vaker. Maar ook de mildere vormen daarvan dienen zich regelmatig aan. Die enorme roep om respect. Dat is tegenwoordig niet meer iets dat je moet verdienen, maar iets geworden dat je kunt opeisen. Waar je recht op hebt.'

Als het gaat om weerbaarheid is ook het boek *Opvoeden is geen kunst* van gezinspsycholoog John Rosemond verfrissend. Wie wil dat zijn kinderen gelukkige volwassenen worden, heeft de plicht ze te frustreren. 'Denk niet dat het uw plicht is uw kind gelukkig te maken en te houden, want dat is niet zo', schrijft hij. 'Het is uw plicht hen de vaardigheden te schenken die ze nodig zullen hebben om op eigen kracht geluk te veroveren. Want in ieder mensenleven komt een behoorlijke portie narigheid voor. Frustreer uw kind dus, zodat ze daar op een goede manier mee leren omgaan.'

Laat je kind dus ook dingen doen die het niet leuk vindt. Zeg vaak nee. Want wie zijn kind altijd maar alles geeft, of dat nou materie is of aandacht, bereidt zijn kind niet voor op het leven van een volwassene, met alle hobbels en kuilen. Zo'n kind bouwt geen frustratietolerantie op.

Vroeger bemoeiden ook oma's, tantes, meesters en de pastoor zich met de opvoeding van kinderen. Dat is niet meer zo. Niet eerder in de geschiedenis is de opvoeding zo alleen op de ouders neergekomen. En omdat we gemiddeld maar één of twee kinderen krijgen, gaat daar al onze aandacht naar uit.

Maar een beetje minder kan ook. Als gezinspsycholoog is Pont betrokken bij een kinderdagverblijf in Nistelrode waar het roer is omgegooid. In plaats van overmatig veel aandacht te geven aan de ontwikkeling van ieder individueel kind, staat hier de groep centraal. Alles is gericht op het stimuleren van de sociale ontwikkeling. 'Het gaat niet meer om het eigen ikje van jouw kind en diens persoonlijke groeiboekje, maar om de vraag: hoe verhoud jij je tot de ander?' Het kinderdagverblijf wil een tegengeluid produceren. In deze geïndividualiseerde samenleving moet je niet ook nog eens in het kinderdagverblijf inzoomen op de individualisatie van een kind. 'Dat is zoiets als een rode roos rood verven. We moeten juist terug naar de socialisatie', zegt Pont.

Ook vanuit de VS waait een tegenbeweging naar ons land over in de vorm van *The Good Enough Parent*, oftewel de goed-genoeg-ouder. Dat is de ouder die terugkeert naar het bevredigen van de basisbehoeften van een kind. Pont: 'Die ouder heeft vertrouwen in zijn kind en laat het daarbij, op een liefdevolle manier. Niet uit desinteresse, maar omdat hij het gezond en wenselijk vindt dat zijn kind eigen ervaringen kan opdoen. Die ouder doet zijn kind niet op drie verenigingen, maar op één. Hij volgt zijn kind niet minutieus, maar laat hem zelf dingen ontdekken. Als je je niet meer tot het derde cijfer achter de komma met het leven van je kind bemoeit, werkt dat heel bevrijdend. Zowel voor het kind als voor de ouder. Dat levert weerbare kinderen op.'

KOM MAAR BIJ MAMMIE

Als het om incest gaat, kunnen moeders er ook wat van. In emotionele zin dan, met hun zonen als slachtoffer. 'Ze zei altijd: "Ohhh lekker mannetje! Als ik jouw leeftijd had, dan zou ik zeker met je trouwen."'

DOOR DAPHNE HUINEMAN

Ver in de tachtig was mijn oma toen ze een zware buikoperatie moest ondergaan, maar ze was nog geen dag terug uit het ziekenhuis of ze stond de winterjas van haar zoon te wassen. Met de hand. 'Het wordt winter en anders heeft die jongen het zo koud', zei ze hijgend van inspanning en pijn. Die jongen was een hoogopgeleide veertiger met een goede baan aan de universiteit.

Tezelfdertijd kreeg ik mijn eerste baan. Veel collega's hadden jonge kinderen en praatten er het liefst de hele dag over. Vooral de moeders van zoons, die stonden naar hun eigen mening toch nét ietsje hoger in de pikorde dan moeders van dochters. 'Als ik zo kijk naar dat lekkere kontje in dat korte broekje, dan denk ik: wat ga jij later veel vrouwen gek maken!' riep er een over haar peuter. De ander vertelde hoe haar zoon van vijf haar had gevraagd hoe je kindertjes maakt. Ze had het hem meteen maar helemaal verteld, inclusief de piemel in de vagina en dat het zo lekker was. Dat had duidelijk iets te ver gevoerd voor het ventje. 'Zullen we dat dan nu even doen, mama?' was zijn vraag. 'Schattig, hè?' kirde de collega. Ranzig leek mij meer het woord.

Nu heb ik zelf een zoontje. Hij is bijna vier, kust me graag op de mond en slaat zijn arm om me heen als een echte vent. Hij kriebelt me weleens over mijn rug, omdat hij weet dat ik dat lekker vind. Ik moet ook zíjn rug aaien, waarbij hij verheerlijkt ligt te kronkelen. Als ik de stad in ga, dan wil hij graag mee, het is heel gezellig om met 'm te winkelen. En al gaat hij bijna naar school, ik moet hem nog steeds aankleden. Anders gaat hij schreeuwen en spartelen. Dat had zijn zus op die leeftijd niet moeten proberen. Maar ja, hij is een jongetje hè, en die zijn later met alles. Zeg ik tegen mezelf.

Het is een beladen relatie, die tussen moeder en zoon. En behoorlijk onderbelicht; je ziet er zelden wat over in boeken, bladen en films, terwijl moeders en dochters inmiddels volledig zijn uitgekauwd. Natuurlijk kennen we Oedipus, de prins uit het gelijknamige Oud-Griekse toneelstuk. En psychiater Sigmund Freud die hem een eeuw geleden weer van stal haalde voor zijn theorie dat alle jongens eigenlijk hun vader willen doden en met hun moeder willen trouwen. Maar zelfs het oedipuscomplex gaat uiteindelijk meer over zonen en vaders. Pas aan het eind van zijn leven, toen zijn eigen dominante moeder dood was, durfde Freud over de moederrol na te denken, maar die kwam nooit echt uit de verf.

Freuds tijdgenoot, de Franse schrijver Marcel Proust, stelt in zijn romancyclus *Op zoek naar de verloren tijd* wel het geheime, onverwoestbare pact tussen moeder en zoon aan de orde. De Nederlandse psychoanalytica Iki Freud (geen familie van Sigmund) vat dat verbond mooi samen in haar boek *Mannen en moeders*. Wie nog steeds gelooft in het sprookje van de onvoorwaardelijke moederliefde, zoals het ons eeuwenlang door de kerk is voorgeschoteld (met de heilige Maria en haar verzaligde blik als lichtend voorbeeld) is na het lezen van dit boek voorgoed genezen. 'De zoon krijgt toestemming om lief, zwak en nerveus te zijn, en de moeder zal hem ontzien en haar liefde gunnen. De prijs die de zoon betaalt is overgave. De chantage is wederzijds en veroordeelt beide partners tot een liefdevol kwellende band, waarin openlijke boosheid niet past', schrijft Iki Freud. En agressie of tegendraadsheid al helemaal niet.

Verstikkende moederliefde heeft grote gevolgen. Je kwetsbaar opstellen is voor dit soort mannen vaak griezelig. In hun kindertijd moesten ze hun zwakheid bekopen met totale uitlevering aan mama. Opvallend veel kleine prinsjes vluchten later in een religie of sekte, worden naar binnen gekeerde nerds of anderszins zonderlinge figuren. Te veel adoratie maakt verwaand (Ik ben bijzonder, adoreer mij) en kan leiden tot grensoverschrijdend gedrag (Voor mij gelden de normale regels niet). Bij veel goeroes, macho's en seksverslaafden is het spoor makkelijk naar de moeder terug te leiden.

Of je het wilt of niet, en hoe je ook je best doet als moeder om het allemaal goed te doen, de relatie met een kind van het andere geslacht is nooit vrij van erotische lading. Dat wil niet zeggen dat er sex aan te pas komt, maar er zijn toch altijd elementen van aantrekken en afstoten, elkaar gebruiken, verwachtingen en maniertjes, die er met iemand van hetzelfde geslacht niet zijn. Zou mijn oma bijvoorbeeld ooit mijn móéders winterjas hebben gewassen? Onbestaanbaar. Het was ongetwijfeld goed gemeend, maar het diende natuurlijk ook om mijn oom klein te houden, en schatplichtig aan mama.

Nog iets wat je heel vaak ziet bij moeders: toespelingen op hun zoons latere rol als vrouwenversierder. Is dat eigenlijk wel gepast? Michiel vindt van niet. Hij windt zich nog dagelijks op over de 'onschuldige' onbetamelijkheden van zijn moeder: 'Toen ik een puber was, zei ze altijd: "Ohhh, lekker mannetje! Als ik jouw leeftijd had, dan zou ik zéker met je trouwen." Ongepast vind ik dat, je geeft een bepaalde seksuele lading aan een relatie die er helemaal niet hoort te zijn. Ze haalde ook continu haar hand door mijn haar en trok mijn trui recht, het liefst in het openbaar. Dan voelde ik me zo klein. Mijn vrouw hoeft dat niet te proberen, dan haal ik echt uit. Vrouwen moeten me sowieso niet zeggen wat ik moet dragen of doen, daar ben ik allergisch voor.'

In mijn omgeving zijn legio mannen die moeilijk loskomen van hun dominante moeder. De woede is onverwacht groot, zo blijkt. Veel zonen voelen zich gebruikt als substituut voor een partner, beste vriendin, therapeut, gezelschapsdame, looprek, applausmachine, boksbal, maar vooral als degene die elke dag maar weer het zelfbeeld van mama moest opvijzelen. 'Vind je mama niet sexy in haar nieuwe jurk?' is een vraag die veel jongetjes al als kleuters voor hun kiezen hebben gekregen. En wee de betuttelde zoon die zich na zijn achttiende vrij waant. 'Toen begon het pas', zegt een buurman. 'Mijn moeder bepaalde altijd al met welke kinderen ik mocht spelen en wie er niet goed genoeg voor me waren. Maar later knipte ze contactadvertenties uit de krant en schreef dan brieven naar die vrouwen onder mijn naam. Pas na haar dood durfde ik een echte relatie aan. Toen was ik 37.'

Een vriendin heeft al jaren het gevoel in een driehoeksrelatie te zitten met haar man en schoonmoeder. 'Thuis klaagt hij alleen maar over zijn moeder: ze is zo bemoeizuchtig, zo benepen, zo oordelend. Maar als het erop aankomt kiest hij altijd voor haar en niet voor mij. Zo moest ze in de vakantie weer mee naar Griekenland. Hij weet dat ik het vreselijk vind, want op de een of andere manier sluiten ze mij dan totaal buiten met hun gesprekken en grapjes. Maar hij stelt liever mij teleur dan haar.'

En dan zijn er nog alle bekende voorbeelden. Michael Jackson aanbad zijn moeder die hem op zeer jonge leeftijd al afschermde van de boze buitenwereld en verdedigde tegenover zijn gewelddadige vader. Hoe wreder papa, hoe hechter Michaels band met mama en hoe hoger zijn stemmetje. Rokkenjager prins Bernhard aanbad in zijn leven maar één vrouw: zijn moeder Armgard. Om háár toekomst veilig te stellen trouwde hij met Juliana; met bij elkaar gebedeld geld kocht hij een kasteel voor haar, en tot haar dood belde hij mama elke dag. Ook voor Mark Rutte is zijn moeder nummer één, hij eet elke week bij haar. Van de premier is niet bekend dat hij ooit een liefdesrelatie heeft (gehad). Meer namen? Freud himself (mama's lievelingetje), Adolf Hitler (afschuwelijke vader, beschermende moeder), Elvis Presley (sliep tot in zijn tienertijd bij mama in bed), Alexander McQueen (succesvolle modeontwerper die vlak na de dood van zijn moeder zelfmoord pleegde), Norman Bates in Hitchcocks film *Psycho*, die zijn moeder vermoordde omdat ze een nieuwe vriend had en leefde met haar lijk, de impotente Trey MacDougal uit *Sex and the City*, zonderling en moederskindje, en zo'n beetje iedere Italiaanse man, nee, doe maar alle testosteron rond de Middellandse Zee. Om over Carlo Boszhard (woont naast mama), Geer & Goor (bellen mama elke dag) nog maar te zwijgen. En over Joodse, Arabische en creoolse *big momma's*. Oedipus is overal.

'Na de scheiding zijn Tijl en ik verhuisd naar een tweekamerflat, meer zat er niet in', zegt Loes. 'We sliepen samen in één bed, en dat doen we zeven jaar later nog. Elf is hij nu. Vriendinnen vinden dat raar: "Denk je echt dat er zo ooit nog een vent bij komt liggen?" Maar ik moet je bekennen dat ik het wel best vind en Tijl ook. Hij is een oude ziel, ik kan echt alles aan hem kwijt: of het nou geldzorgen zijn, of mannen, of het gedoe op m'n werk. Hij zegt dan altijd iets liefs en opwekkends, hij is zo *supporting*. Wat ik echt afschuwelijk vind is dat zo'n bijzonder kind, zo'n godsgeschenk, wordt gepest op school. Dat begon al in groep twee, omdat hij zachter is dan de rest. Ik heb hem op judo gedaan om hem weerbaarder te maken, maar dat was niks: je op commando in elkaar laten beuken, bah. Ik heb hem eraf gehaald, voordat hij getraumatiseerd zou raken.'

Voer voor psychologen, dit verhaal. Dat vindt Loes na enig aandringen ook: 'Misschien ben ik soms een beetje *too close for comfort* voor Tijl. En hoe moet het als hij in de puberteit komt? Maar dat zien we dan wel, nu is het in elk geval heel gezellig. Hij is de enige man die ik ooit heb kunnen vertrouwen en die lief is voor me. Ongelooflijk vind ik dat, hoe lief jongens kunnen zijn.'

Volgens Iki Freud en allerlei Amerikaanse therapeuten (in de VS speelt het onderwerp veel meer dan hier) zijn er vele soorten verwrongen moeder-zoonrelaties. Zo heb je de bemoeizuchtige moeder, de betuttelmoeder, maar ook het claimende slachtoffer en de schijnbaar redelijke maar o zo manipulatieve figuur. Opvallend is wel dat een uiterst aanwezige moeder altijd lijkt samen te gaan met een afwezige vader. Die is vaak vertrokken, niet betrokken, bezweken onder de plak, workaholic of domweg buitengesloten. Bij gebrek aan een echte man in huis moet zoonlief zijn moeders emotionele leegte vullen. Een ex-collega: 'Mijn man werkte tachtig uur per week. Doordeweeks at hij nooit mee, ons zoontje en ik zaten elke avond als een getrouwd stel aan tafel. Op zijn vijfde vroeg hij al: "Hoe was het op je werk, mama?" Ik vond het fijn dat tenminste iemand ernaar vroeg.' Als er geen man in huis is, worden de verhoudingen anders, vindt een gescheiden en inmiddels hertrouwde vriendin. 'Toen ik net alleen was met Timmie, vroeg ik hem veel vaker om raad, over mijn uiterlijk, of over een date. En ik huilde uit over zijn vader tijdens de scheiding. Ongelooflijk eigenlijk. Sinds ik een nieuwe vriend heb, behandel ik Timmie weer veel meer als de persoon die hij moet mogen zijn: gewoon een kind. Ik maak me gek genoeg ook veel minder zorgen over hem, misschien omdat ik gewoon niet meer zo met hem bezig ben.'

Dit doet denken aan de vaak bespotte *mammoni*, de miljoenen Italiaanse moederskindjes, die zich tot hun dertigste lekker thuis laten betuttelen door *la mama*. Door de absurde hoeveelheid aandacht van hun moeders zijn zij ervan overtuigd geraakt dat ze het middelpunt van het heelal zijn. Als ze trouwen, blijven ze lekker hun eigen gang gaan, waarop hun echtgenotes hun opgekropte liefdesgevoelens dan maar uitstorten over hún zoontje. Dat is tenminste wél beschikbaar – én klein te krijgen.

Je kunt je natuurlijk wel afvragen of we het hier over liefde hebben of over verkapte agressie. 'Als ik vroeger met mijn moeder tv zat te kijken,' zegt een vriend, 'pakte ze vaak met één hand mijn gezicht, trok het dicht naar zich toe en zei dan: "Weet je wel dat ik niet zonder jou zou kunnen leven? Wéét je dat wel?" Jarenlang voelde ik me onbewust verantwoordelijk voor haar leven. Zonder mij zou ze sterven.'

Wie haar minderjarige zoon gebruikt als intieme vertrouwenspersoon, overschrijdt keer op keer zijn grenzen. Emotionele incest is de term die Amerikaanse therapeuten daaraan geven. Sex komt er weliswaar meestal niet aan te pas (soms wel), het gaat hier vooral om verbaal misbruik. Denk dan niet aan schelden, maar aan 'liefdevolle' opmerkingen als: 'Van alle kinderen ben jij de meest getalenteerde.' Of: 'Weet je wel dat ik niet zonder je kan?' (Eigenlijke boodschap: jij moet mijn leven de moeite waard maken.) Of: 'Jij bezorgt me nooit een greintje last.' (Boodschap: negeer je eigen behoeften, ik kan er niet tegen.) Of: 'Jij bent zo bijzonder!' (Voor jou gelden de normale regels niet, zolang je maar lief voor mij blijft.) Dat zeggen veel eenzame moeders en aanvankelijk voelen hun kinderen zich vereerd, maar gaandeweg toch ook verstikt en verbolgen. Want met hun eigen gevoelens – vooral de boze, wilde, tegendraadse – mochten ze hun moeder nooit belasten, en dus hebben ze zich nooit ten volle kunnen ontwikkelen.

Moeders, opgelet: een zoon is geen praatpaal, geen man die alsnog moet doen wat je vader of je man verzaakte, geen vervangende minnaar en hij hoeft helemaal niets maar dan ook helemaal niets goed te maken in je leven. Doorsnijden dus, die navelstreng!

(Ik moet naar een feestje en sta te wikken en wegen voor de spiegel. Instinctief zet ik een stap in de kamer van mijn zoontje en vraag hem met mijn liefste stemmetje of hij vindt dat mama er zo mooi uitziet. Fout, fout, ik weet het. Hij kijkt niet op van z'n dino's en zegt: 'Ja hoor, mama. Je bent zo mooi als een cavia.' Even ben ik uit het veld geslagen, maar dan loop ik grinnikend de kamer uit. Zolang mijn zoon me zonder met zijn ogen te knipperen durft af te zeiken, zijn Oedipus, Bernhard en *Psycho* nog op veilige afstand.)

EET
JE
BORD
LEEG

Sla is zuur, andijvie slijmerig, bloemkool papperig en erwtensoep kots. Als je kind walgend van tafel rent om die ene sperzieboon uit te spugen, moet er een truc verzonnen worden om het aan de groente te krijgen.

DOOR SYLVIA WITTEMAN

Mijn oude vader kan zelfs na acht borrels nog feilloos opsommen wat er in zijn jeugd op tafel kwam. Maandag (wasdag!) erwtensoep met kluif. Dinsdag bloemkool met saucijsjes. Woensdag andijvie met gehakt. Donderdag kapucijners met een speklapje. Vrijdag uiteraard vis met worteltjes, zoals in elk rooms gezin. Zaterdag zuurkool met worst en zondag biefstuk met sla en gebakken aardappelen. Elke week hetzelfde. Handig voor die kinderen, want die konden op hun bord zien welke dag het was. En handig voor mijn oma, dan hoefde ze niet telkens te bedenken wat ze haar zeven kinderen nóú weer eens voor moest zetten. Er was geen sprake van dat iemand iets niet lustte. Zelfs het wóórd werd niet gebruikt. 'Lussen, die zitten aan je jas', zei mijn oma dan. Ja, dat waren mooie tijden. Als ik bovenstaand weekmenu eens kritisch doorneem met de voor- en afkeuren van mijn eigen kinderen voor het geestesoog, dan moet ik tot mijn schrik vaststellen dat alleen de zondag nog door de beugel zou kunnen. Behalve de sla dan, want sla, dat eten mijn kinderen niet. Sla is zuur. Net als andijvie slijmerig is, bloemkool papperig, een speklapje vet, erwtensoep kots, stamppot cement en vis stinkerig.

Ik kan nota bene echt best lekker koken, al zeg ik het zelf. Dat vinden mijn kinderen trouwens ook, hoor. Mijn spaghetti met tomatensaus, bijvoorbeeld, vinden ze prima te eten, evenals mijn macaroni met ham en kaas. Ik bak uitstekende pannenkoeken en frietjes, en een mals biefstuk-

87

je gaat er ook wel in. Maar dat is het dan wel zo'n beetje. Dat wil zeggen, er zíjn nog wel een paar andere spijzen die ze zonder kokhalzen wegwerken, maar niet van harte. En van écht lekkere dingen, orgaanvlees, zeebeesten, overrijpe kazen en incourante specerijen, daar is natuurlijk helemáál geen sprake van. Ik word er moedeloos van.

'Eten moet je leren, met vallen en opstaan', zegt Annemarie van Elburg. Ze is kinderpsychiater en medisch manager in het Centrum Eetstoornissen Rintveld. 'Tussen hun eerste en tweede jaar gaan kinderen grenzen ontdekken tussen zichzelf en hun omgeving. Vroeger was zindelijk worden de inzet van machtsstrijd tussen ouder en kind. Tegenwoordig zijn er uitstekende wegwerpluiers verkrijgbaar, dus zindelijk worden is geen punt van strijd meer. In plaats daarvan wordt eten in veel gevallen het grote gevecht. Kinderen geven zichzelf daarmee een positie.'

Het magische getal schijnt elf te zijn, lees ik overal. Als je een kind eenmaal elf keer een bepaald gerecht hebt laten proeven, dan eet hij het wel, schijnt het. Leuk, alleen hoe kom je zo ver dat een kind elf keer opnieuw iets proeft waarvan hij toch echt zeker meent te weten dat het niet te vreten is? Probeer het maar eens met een onschuldig mosseltje of een stukje venkel. De blinde paniek in die kinderogen. Het walgend van tafel rennen om het hapje in de wc uit te spugen. Vervolgens die wederzijdse schreeuwpartijen, de ouderlijke standaarddreigementen van geen toetje ('Nou dan maar niet!') of bedekking met de mantel der liefde in de vorm van een verzachtend schepje aardappelpuree ('Getver, nou heb je de puree óók nog verpest!'). Zoiets probeer je één keer, geen elf keer. Zo'n samenzijn aan de dinertafel is tóch nogal heikel: iedereen roept door elkaar heen om aandacht, en er is er altijd een bij (we noemen geen namen) die als het eten nét wordt opgediend 'ontzettend nodig moet poepen'.

Rustig en gezellig tafelen is in een gemiddeld jong gezin eigenlijk zo goed als onmogelijk. De meeste Amerikaanse ouders kiezen dan ook eieren voor hun geld, schuiven de kinderen voor de tv een paar kipnuggets in de vorm van een dinosaurus onder hun neus, en wachten zelf met eten tot het grut naar bed is opgedonderd. Heel aanlokkelijk, maar het leidt zelden tot uitgebalanceerd tafelgedrag: in het doorsnee Amerikaanse huishouden eet niemand meer aan tafel, en zeker niet samen. In de auto, dat wel, een snack onderweg van/naar voetbal/ ballet/vergadering, later nog een paar snelle happen boven de gootsteen, en nóg later een zakje of pakje van het een of ander voor de tv of computer. Het grote nadeel van deze manier van eten is dat er geen duidelijk begin of eind aan een maaltijd is: vooral kinderen, met hun neiging tot *grazing*, eten vaak de hele dag door allerlei ongezonde, vette hapjes.

Van Elburg: 'Als je voor de tv eet, is je aandacht niet bij het eten en merk je daardoor niet dat je eigenlijk al genoeg hebt. Ook hebben kant-en-klare maaltijden vaak een simpele, voor iedereen acceptabele, doorsnee smaak, waardoor je er gemakkelijk te veel van eet. Als je volgens mediterrane gewoonte rustig aan tafel zit en daar een heleboel verschillende dingen proeft, heb je niet zo gauw de neiging om je te overeten.'

Van Elburg beschrijft de verbazing van een Amerikaanse collega. Die vroeg zich af: hoe kan het dat Amerikanen dik worden van Italiaans eten, en Italianen niet? 'Hij dacht dat het aan klimaatverschillen lag of zoiets', lacht Van Elburg. 'Het zit hem vooral natuurlijk in de grootte van de porties, die Amerikanen zonder proeven naar binnen schrokken. Italianen genieten rustig van hun eten, en zitten gezellig met elkaar aan tafel, waardoor je wat meer op gevoel kunt eten.'

Goed, maar wat kunnen we doen om het tafelen met het grut op zijn minst draaglijk te maken? Van Elburg: 'Je moet een kind op jonge leeftijd blootstellen aan zo veel mogelijk verschillende soorten voedsel. Altijd een hapje laten proeven, voor de smaakontwikkeling. Inderdaad, een kind dat eenmaal elf keer een bepaald gerecht heeft moeten proberen, kán dat gerecht eten. Dat wil nog niet zeggen dat hij het ook lekker vindt, maar als ouders kun je dan zeggen: je hoeft niet alles lekker te vinden. Als je het maar eet.' Ook de korstjes van de boterham? 'Ook de korstjes. Goed kauwen is belangrijk voor de spijsvertering. Je moet uitstralen dat het normaal is om gezond en gevarieerd te eten, net zoiets als uitkijken bij het oversteken.'

Maar is dat dan niet zielig? 'Nee, het is zielig om je kind niet op te voeden met een goed eetpatroon. Dát is eigenlijk een vorm van verwaarlozing. En je moet er heel jong mee beginnen, in de fase van hun smaakontwikkeling.'

Hmm. Mijn jongste is vijf, dus ik ben waarschijnlijk al te laat. Toch houd ik hoop, want huisgenoot P., die volgens eigen zeggen tot zijn zestiende alleen maar Tucjes met jonge kaas lustte, eet tegenwoordig óók alles met smaak, getuige zijn 104 kilo. Maar hoe kom je dan die lastige machtsstrijdfase door waarin kinderen gewoon hun poot stijf houden? Van Elburg: 'Dwingen heeft geen zin. Het kind moet het gevoel hebben dat het controle heeft over de gang van zaken. Daarom moet je hem uitdagen in het zelf bedenken van oplossingen. Desnoods mengt hij het eten met iets wat hij wél lekker vindt. Zolang dat natuurlijk niet altijd mayonaise is.'

En zo zijn er meer trucjes. Kinderen vinden restaurants leuk (helaas geldt het omgekeerde meestal niet) en zijn in die spannende omgeving vaak zomaar geneigd iets nieuws te proberen, ook al omdat, laten we eerlijk zijn, het eten in een restaurant er vaak mooier uitziet dan de warme prak thuis. Een unieke kans om ze eens een coquille, reepje saltimbocca of ander kindvriendelijk nieuwigheidje te laten proeven. Koop ze eventueel om met de belofte van een Heel Groot IJsje toe. Bestel vooral GEEN kindermenu. Als kinderen nog klein zijn, hebben ze sowieso genoeg aan een hapje van het bord van hun ouders. Waarom zou je dan zo'n deprimerend bord friet met vissticks bestellen? Het is altijd veel te veel, sterker nog, de meeste kinderen raken hun officiële maaltijd niet eens aan na een paar grepen uit het broodmandje. Ik heb dan ook sterke vermoedens dat kindermenu's over de hele wereld van onbreekbaar plastic worden vervaardigd, en het restaurantpersoneel het eindeloos laat rouleren, van de keuken naar de kleine clientèle, en terug.

Met dat restaurant in het achterhoofd is het trouwens een handige truc om het eten thuis ook eens vrolijk te garneren en/of te rangschikken: en dan bedoel ik niet dat je elke avond impressionistische landschapjes van knollen en rapen moet gaan kleien, maar een lapje spek om een bosje sperziebonen gewikkeld, doet wonderen, althans bij kinderen, want bij volwassenen geeft zoiets maar akelige Van der Valk-associaties.

Nog een reden om geen kindermenu's te serveren: kinderen die hun hele jeugd hebben geleerd minder gewenste maaltijdcomponenten weg te slikken met behulp van de friet-als-hefboom en appelmoes-als-glijmiddel, komen daar ook in hun latere leven vaak nooit meer helemaal bovenop: dat zijn die onfortuinlijke stakkers die in restaurants altijd weer blijven hangen in de Tong Picasso en andere wancreaties. Thuis doen ze óók voortdurend ananas door de zuurkool, en banaan door de chili con carne. Wie zijn kind nóóit een kindermenu voorschotelt (dat immers steevast vergezeld gaat van het onvermijdelijke bakje appelmoes met veel te rode kers), voorkomt dus een hoop ellende op latere leeftijd, waaronder uitsluiting van culinair beter gesitueerde kringen. Trouwens, bij die kindermenu's wordt, afgezien van het plukje excuus-rucola en vijf sliertjes zure wortelrasp, tóch nooit groente geleverd, zelfs niet van plastic. En laten we eerlijk zijn, die groente, daar gaat het nu juist om, want eiwitten, vetten en koolhydraten krijgen de meeste kinderen vanzelf wel binnen, vaak meer dan goed voor ze is. Maar aan groente hebben ze nu eenmaal een gruwelijke hekel, dat wil zeggen, aan warme groente. Daar ligt die kwak natte andijvie, op hun bordje, naast die op zich smakelijke bal gehakt en gezellige gebakken aardappeltjes de sfeer te bederven. En het is nergens voor nodig, want ráúwe groente eten ze wel, zeker zolang er niks lekkerders in de buurt is. Probeer het maar: plaats rond een uur of half zes een schaal komkommer, partjes tomaat, rauwe worteltjes, selderijstengels en dergelijk knaagvoer strategisch tussen de ravottende kinderschaar. Tien tegen een dat het bordje binnen een paar minuten leeg is. Ze hebben immers honger, tenzij je natuurlijk zo stom bent een zak chips te laten slingeren. In zware gevallen kan een dipje van yoghurt met wat ketchup, mayo en kruiderij wonderen doen. Het zwaard snijdt aan twee kanten; die kinderen krijgen een verantwoorde portie nuttige vitamines binnen, en aan tafel hoeft de sfeer niet meer verziekt te worden met gekissebis over knolraap en lof, schorseneren en prei. Bovendien voorkom je zo een akelig fenomeen dat ik in veel gezinnen de overhand zie krijgen: de kinderen lusten eventueel wel warme groente, maar dan slechts één soort, en wel ieder een ánder, liefst bewerkelijk en duur soort. Die arme ouders, die dolblij zijn dat hun kroost zo dapper is iets groens te eten, zetten Anoukje elke avond haar favoriete geroerbakte wilde spinazie met ansjoviscroutons voor, Milan krijgt zijn kerstomaatjes in gelijkzijdige driehoekjes met geitenkaas gegratineerd, en Amber mag haar artisjokje in een bakje dragonvinaigrette dippen. Hartstikke leuk om op te scheppen tegen gelijkgestemde ouders ('Sven heeft gisteren een pónd huisgerookte zeekraal weggesmikkeld!') maar wel een ontzettende hoop gedoe en echt 'alles leren eten' doen ze op die manier toch niet.

Een truc die ik vaak gebruik en die tot op zekere hoogte wél helpt: eten dat ze er 'eng' uit vinden zien, geef ik ze tussen twee boterhammen mee naar school. Nietsvermoedend bijten ze in het broodje ham met (enge) asperges, (enge) plakjes ossentong met mayonaise of kipfilet met (enge) avocado. Bij thuiskomst vraag ik dan of het lekker was, en zo ja, dan roep ik triomfantelijk: 'Zie je nu wel dat je tong/ asperges/avocado lust!' Het probleem is alleen dat ze na enige tijd doorkrijgen dat ze genaaid worden, en vervolgens de boterhammen argwanend gaan ontleden. Maar dan houd je er gewoon een tijdje mee op, om een paar weken later opnieuw toe te slaan.

Sommige ouders boeken ook succes door hun kinderen te laten helpen boodschappen doen en koken. Ik hoor vaak de prachtigste verhalen, van zesjarigen die hele regenachtige woensdagmiddagen hun eigen tarbot-aardpeer-tortellini staan te knutselen en vervolgens nog opeten ook. Het geeft wel een enorme hoop rotzooi in de keuken natuurlijk. En trouwens, mijn eigen kinderen grijpen, door mij aangespoord tot enig culinair initiatief, helaas telkens weer met de ene hand naar een blik witte bonen in tomatensaus en met de andere naar een blik knakworst. Daar is uit voedingskundig oogpunt niet eens zo veel tegenin te brengen, en het geeft ook weinig rommel, maar leuk is anders. Onder zachte dwang zijn ze ook nog weleens bereid tot een lekkerder en gezonder alternatief: minestrone. Deze hartige Italiaanse groentesoep bereiden en eten ze zonder morren, vooral als ze er lepels pesto (de groene kindervriend) in mogen scheppen. En ze vinden het schillen en snijden nog leuk om te doen ook. Daarna zit het groenteafval wel tot driehoog tussen de plinten, maar je moet er wat voor overhebben. In dat verband moet ik ook krachtig afraden die pesto door de kinderen te laten blenderen, want dan is het risico groot dat iemand, ik noem weer geen namen, vergeet het deksel erop te doen, met alle rampzalige gevolgen van dien.

Goed, dan hebben ze zelf gekookt, ze eten zonder kokhalzen, maar laten wel de helft liggen. Hoe zit dat nou, als ze zelf opgeschept hebben moeten ze toch ook hun hele bordje leegeten? Van Elburg: 'Ja, dat was vroeger misschien zo. Maar de laatste tijd zie je veel meer te dikke dan te dunne kinderen. Dus zeggen we tegenwoordig: laat die laatste twee hapjes maar staan.'

b

BUITENBEENTJES, WIJSNEUSJES & DWARS-LIGGERTJES

1 OF MAMA EVEN BIJ DE JUF WIL KOMEN
2 ACH, WAT ZIELIG **3** PESTEN. HET SLACHTOFFER IS DE PINEUT

OF MAMA EVEN BIJ DE JUF WIL KOMEN

Jezus was een buitenbeentje, net als Winston Churchill en Prince. Vroeger was zo'n kind een lastpak of wijsneus, tegenwoordig krijgt het een etiket en een rugzakje met geld. 'Opeens was ik de moeder van een probleemgeval.' **DOOR DAPHNE HUINEMAN**

'Pepijn zat pas een paar maanden op zijn nieuwe school, toen de juf belde', zegt Marileen Kraaijeveldt, die na de scheiding in haar eentje voor haar zoon zorgt. 'Of ik een keer wilde komen praten. Het was zo'n stil jongetje, zei ze. Als hij al iets zei in de kring, dan was het met zijn hand in zijn mond. En tijdens het buitenspelen liep hij alleen over het schoolplein. Ik voelde me al een egoïst omdat ik hem midden in groep twee op een andere school had gedaan. Eentje waar alles beter was geregeld met naschoolse opvang en zo. En ik was opgelucht toen hij er niet over mopperde, geen buikpijn had, geen tranen bij het afscheid. Nu bleek hij de einzelgänger van de klas. Zonder één vriendje. Ik kreeg een paar adressen van pedagogen. Ik verwachtte een geruststellend gesprek, maar de pedagoog zei: "De eerste twee weken doen we testjes, u krijgt over een maand een voorlopige diagnose." Diagnose? Ik kreeg ter plekke een huilbui. Het ene moment heb je gewoon een kind, op het andere moment een probleemgeval.'

'Julius is zo'n grappige wijsneus met dikke brillenglazen, die almaar lastige vragen stelt', zegt stiefmoeder Sjakkelien van Buren, een goede vriendin van me. 'In groep zeven kreeg hij een leraar die hem irritant vond, wat hij natuurlijk ook weleens was. Telkens weer werden zijn vragen weggewuifd. Daar werd hij tegendraads van, dan beet hij zich echt vast in elk onnozel detail. Hij begon de meester in de rede te vallen, te

95

outsmarten. 'Julius, jij hebt voor het hele jaar genoeg gevraagd', riep die man al in oktober. En de klas maar lachen, hè. Ten koste van een jochie dat de sociale codes niet zo goed kent. Met goedkeuring van de meester. De school begon zich er ook in te mengen, het woord autisme viel zelfs.'

Vraag tien ouders wat ze het liefste wensen voor hun pasgeboren kind. Negen van hen zullen de schouders ophalen en verliefd zuchten: 'Ach, als hij maar gelukkig wordt.' Vier jaar later blijkt de gelukswens vaak ongemerkt te zijn veranderd in 'als hij maar normaal doet'. Zolang een kind gewoon meedraait op school, vriendjes maakt, een aardig rapport heeft, hoor je geen ouder klagen. Wie een kind heeft met een handicap of een sociaal probleem, zal zeggen dat uit de toon vallen een zware last is, voor kind én ouder. Een 'normaal kind' is dus een legitieme wens. Maar is dat het enige wat erover te zeggen valt? Misschien ben ik – met twee kinderen die tot nog toe perfect in de maatschappelijke mal passen – de laatste die zich dat mag afvragen. Toch merk ik dat ik het steeds vaker doe.

Allereerst: wat is normaal? Onze kinderen met hun bijdehante praatjes zouden het in de Amazone nog geen dag redden, laat staan in de negentiende eeuw. En een zachtaardig vioolspelertje in Aerdenhout heeft vast een helse jeugd tussen de motorcrossers in een Drents boerendorp. 'Normaal zijn' is dus gebonden aan cultuur, tijd en plaats. Zelfs op de Gooise postzegel waar ik woon, weten we nog eindeloos door te zeveren over elkaars Audi of Volvo. We hebben er allemaal een, maar o wee als-ie van het verkeerde jaar is of het foute model heeft. Iemand van buiten de regio zou ons noch onze kinderen uit elkaar weten te houden, zo identiek zijn we. Allemaal hebben we dezelfde hobby's (tennis, hockey, golf, squash), dezelfde bank met hocker, dezelfde hardstenen tegels in de keuken, dezelfde bleke kinderen met dezelfde sprieterige haren en dezelfde Max- en Sophie-achtige namen. We klitten allemaal samen en vervolgens zoeken we naar elkaars minimale verschillen. 'Er wordt zo snel gelabeld', zegt Wies Jenssen. 'Mijn dochter speelt alleen maar met jongens en met autootjes. Ze voetbalt en is supporter van PSV. De keren dat me wordt gevraagd of ik denk dat ze lesbisch is. Het kind is zeven!'

Buitenbeentje. Dat is iemand die qua gedrag, uiterlijk en/of denkbeelden afwijkt van de grote groep. Vroeger was dat ongehoord. Je was van een bepaalde sociale klasse, godsdienst of familie en daar hoorden allerlei gedragsregels bij. Hield je je daar niet aan, dan werd je heel misschien nog geaccepteerd als dorpsgek. Sinds enkele tientallen jaren bepaal je in grote delen van Nederland zelf waar je bij hoort, op internet vind je voor elke vreemde voorkeur grote groepen medestanders en zelfs als je niet wilt voldoen aan wat voor maatschappelijke norm dan ook, je zult nooit verhongeren. Je zou denken, dat we met onze nieuw verworven vrijheden elke dag jodelend in een paarse broek met gele stippen door de straten huppelden. Maar nee hoor, we stappen nog met hetzelfde chagrijnige gezicht bepakt en bestropt de trein in, of we roddelen met de ene buurvrouw over de andere. Waarom? Misschien wel om ons minder alleen te voelen. In de jaren vijftig toonde de Amerikaanse psycholoog Solomon Asch met zijn 'overeenstemmingsexperiment' aan dat de mening van mensen vaak wordt bepaald door de meerderheid in een groep. Als eerst vijf anderen (die in het complot zaten) een fout antwoord gaven op een vraag van het niveau twee plus twee, dan ging de proefpersoon meestal mee met het foute antwoord. De test is in de loop der jaren talloze malen herhaald, met min of meer hetzelfde resultaat.

'Dat is precies wat mijn dochter jarenlang deed', zucht Lummechien Noordhof, moeder van een dochter van tien. 'Ze was slimmer dan de rest van de klas, maar begreep ook haarfijn dat dit voor irritatie zorgde. Daarom gaf ze geregeld het verkeerde antwoord op vragen en liet ze toetsen in de soep lopen. Het heeft ons jaren gekost om de leerkrachten ervan te overtuigen dat ze zich verschrikkelijk zat in te houden. Dat ze op haar achtste al literatuur uit onze boekenkast pakte, en die ook begreep. Ik vond dat ze zich vrij moest kunnen ontwikkelen, op haar eigen manier.'

Het zogenaamde individualisme van deze tijd is voor een groot deel maar schijn. Kinderen moeten nog steeds in de pas lopen, met z'n dertigen synchroon knutselen vanaf hun vierde, en genoeg punten scoren voor de Cito-toets, zodat ze naar de middelbare school kunnen die hun ouders voor ze hebben bedacht. En als er een kink in de kabel komt, staat er een leger aan deskundigen klaar om de problemen te verhelpen: ADD, ADHD, iets uit het autistisch spectrum, hypersensitiviteit, dyslexie, dyscalculie, COS, borderline, depressie, eetprobleem, hoogbegaafdheid, laagbegaafdheid. Vroeger was je dan dom, gek of stout. Nu krijg je bij elk etiket een rugzak met geld.

Natuurlijk is het fijn dat de wetenschap vooruitgang heeft geboekt en dat er steeds scherper naar het kinderbrein wordt gekeken. Alleen, is het ook niet eens tijd om gewoon iets meer tolerantie en waardering op te brengen voor degenen die afwijken van de gangbare norm? Dat we erkennen dat een schoolklas of een gezin een vorm van samenleven is die niet voor iedereen even goed werkt?

'Ik wilde niet meteen met Julius naar de hulpverlening stappen', zegt Sjakkelien van Buren. 'Ik was bang dat ze hem zouden labelen als hoogbegaafd of licht autistisch, of allebei, en dat hij dan nooit meer van dat stempel af zou komen. Ik ben gaan zoeken op internet, en daar vond ik al de eerste avond een boek: *Eccentrics, a Study of Sanity and Strangeness* van David Weeks. Hij is de eerste die wetenschappelijk onderzoek heeft gedaan naar mensen die excentriek zijn. Ik raakte er meteen van overtuigd dat dit is wat Julius 'mankeert'. Er stond een simpel testje in en dat bevestigde mijn vermoedens. Wat excentriekelingen bindt is dat ze creatief zijn, nieuwsgierig, geobsedeerd met enkele stokpaardjes, en onconventioneel. Grappig genoeg zijn ze een stuk gelukkiger dan de gemiddelde mens, gaan ze veel minder naar de dokter en leven ze vijf tot tien jaar langer. Dus gek zijn ze niet. Dat zijn wij, de losers die zich druk maken over anderen en wat die van hen zouden kunnen vinden. Mijn man en ik hebben Julius het boek laten lezen. Hij las het in één adem uit, liep onze slaapkamer in en verklaarde plechtig: "Ik ben een vreemde vogel." En daarna: "Dat is goed, toch?" Toen wist ik dat het in orde zou komen. Nu zit Julius op het gymnasium, daar is het gehalte aan wijsneuzen zoals hij gelukkig lekker hoog. Hij heeft vrienden, vriendinnen, een terrarium, kennissen over de hele wereld met wie hij zijn voorliefde voor kameleons, stambomen en het oude Egypte deelt. En hij heeft zelfspot: "Ik ben een nerd, mam, ik kan er ook niets aan doen", roept hij als hij een weekend als elf of ridder een of ander vaag verkleedspel gaat spelen in een bos, terwijl zijn populaire buurjongen een buurtfeestje geeft in de garage.'

Jezus van Nazareth, Boeddha, Albert Einstein, Winston Churchill en Prince. Allemaal liepen ze al op jonge leeftijd uit de pas. In het Nederland van de 21ste eeuw hadden ze een leger psychologen over zich heen gekregen voor ze pap konden zeggen. De eenzame, ziekelijke Winston

Churchill trapte als klein jongetje (terecht) de hoed van zijn wrede leraar kapot en weigerde Latijnse rijtjes te leren omdat die zijn fantasie niet prikkelden. Albert Einstein liep een eeuw vóór Claus al zonder stropdas en op sandalen. Hij vond comfort belangrijker dan uiterlijk vertoon. Zo kon hij zijn aandacht richten op belangrijkere dingen, zoals de relativiteitstheorie. Waar de buitenissige vrouwen zijn in dit verhaal? Die gaan wat later los, meestal pas na hun vijftigste. Een paar voorbeelden: modeontwerpster Vivienne Westwood, kunstfilantroop Peggy Guggenheim, *plastic fantastic*-boegbeeld Marijke Helwegen en Madonna.

Buitenbeentje zou een geuzennaam moeten zijn. Zoals in een goed muziekstuk dissonanten zitten, zo zou er veel meer ruimte moeten zijn voor de tegenklanken in onze maatschappij. Ieder kind is zogenaamd Bijzonder. Later geen ambtenarenbaantje voor Sebastiaan, hij wordt gewoon rijk, dondert niet hoe. En Sophietje wordt een beroemd zangeres. Maar wat als je kind nogal op zichzelf is, of een beetje zonderling? Wat als hij later dakdekker wil worden in plaats van miljonair? En wat als hij het liefst met twee staartjes naar school gaat, terwijl hij toch echt een jongetje is? Ja, wat als je écht bijzonder bent?

'Voor mijn problemen met Pepijn heb ik het allermeeste gehad aan een passage uit een vrouwenblad', zegt Marileen Kraaijeveldt. 'Het was een interviewtje met tv-programmamaker Machteld van Gelder. Zij zei dat ze voor het programma *Taarten van Abel* soms van die tobberige, nerveuze kinderen ontmoet. Zij zou dan iets tegen zo'n kind willen zeggen in de trant van: "Ik was ook zo vroeger, later komt het allemaal goed." Dingen kunnen voorbijgaan als je dapper doorleeft. Dat was mijn mantra de afgelopen driekwart jaar. Ik heb mijn houding tegenover Pepijn veranderd. Ik bescherm hem niet langer, maar accepteer hem zoals hij is. En ik ga ervan uit dat binnenkort de rest van de wereld dat ook doet. Pepijn is opgebloeid omdat ik meer tijd voor hem neem, en ik ben ook veranderd: minder verbeten, minder hard ten opzichte van anderen. Mijn zoon heeft me op dat spoor gezet. Dat vind ik het mooie aan een bijzonder kind, daar kun je veel van leren als je je ervoor openstelt. Maar dan moet je wel je *comfort zone* durven te verlaten. Uiteindelijk zit ik nu in een superheftige therapie, terwijl Pepijn allang weer weg is bij de psycholoog. Hij loopt niet meer alleen over het schoolplein. Waar het bij hem vooral aan ontbrak was de overtuiging dat hij mocht zijn zoals hij was: introvert, dromerig, gevoelig, heel anders dan ik. En heel anders dan de tijdgeest, die juist vraagt om extraverte, assertieve kinderen. De bevestiging dat hij oké was moest hij eerst van mij krijgen, voor hij de wereld in durfde.'

Goed gelukt ouderschap behelst dus meer dan het afleveren van een perfect aangepaste *mini me*. Maar ik vraag me af hoeveel ouders die gedachte aandurven. Ikzelf bijvoorbeeld niet zo. Ik wil gewoon in de wolken blijven met mijn twee gezeglijke kindjes. Hofnarren, lastpakken, dwarsliggers en wijsneuzen; mij zijn ze iets te tijdrovend. Maar oké, ook nuttig, want ze confronteren me met het duffe, ingeslapen, onoprechte deel van mezelf. Als ik mijn stem verhef tegen mijn kinderen, zegt Julius: 'Je voelt je zeker knap machteloos, hè?' Onuitstaanbaar, maar waar. Net als: 'Heb je dit jaar iets geschreven waar je trots op bent?' Ehhh, ik was al blij als ik het allemaal af kreeg, Julius.

Als ik denk aan de uren die ik de afgelopen maanden heb vergooid aan stress over kribbige klassenmoeders, mijn steeds diepere voorhoofdsrimpels, een vriendin die het niet kan laten nare opmerkingen te maken, dan schaam ik me. Ik zie hoe Julius opgaat in zijn passies en hoe hij de overduidelijk laatdunkende reacties uit zijn omgeving laconiek van zich af laat glijden. Heb ik de afgelopen maanden ook maar één minuut stilgestaan bij iets wat ik werkelijk geweldig vond om te doen? Of iets waardoor deze wereld mooier zou kunnen worden? Heb ik iets meegemaakt dat ik me nog zal herinneren op mijn sterfbed? Neuh. Werk, huishouden en de tieten van Patricia Paay, zo zou je deze winter kunnen omschrijven. Dat zou Julius nooit overkomen. Dankzij afwijkende types krijgt het leven kraak, smaak, vooruitgang en vrede (denk aan de onverzettelijke Churchill). 6,5 miljard keer m'n muizige zelf, ik moet er niet aan denken. Koesteren dus, dat rare kind.

ACH, WAT ZIELIG

Steeds meer kinderen groeien op zonder broer en zus. En dat heeft zo zijn voordelen. Geen broertje dat op je gezicht gaat zitten, en kindlief strijkt in zijn eentje de erfenis op. **DOOR ELS ROZENBROEK**

In mijn lievelingsboek verhuisde de hoofdpersoon naar een kinderloze tante, waar ze haar eigen kamertje kreeg, een kast vol nieuwe kleren, zo veel boeken als ze wilde lezen en een rijtje poppen waar ze eindeloos mee mocht spelen. Ik las en herlas het boek, in een hoekje van mijn kamertje dat ik moest delen met mijn kleine zusje dat eindeloos haar handstand repeteerde. Haar voeten raakten elke keer met een bonk de grond. Uit de kamer ernaast hoorde ik mijn broertjes met elkaar spelen en vechten – luidruchtig en onvermoeibaar zoals alleen jongetjes dat kunnen. Op de gang schreeuwde mijn moeder of het alsjeblieft wat zachter kon voor de baby en beneden riep mijn oudste zus dat ze in dit lawaai onmogelijk haar huiswerk kon maken.

Dit is het beeld van mijn jeugd dat ik voor altijd bij me draag. Een kakofonie van stemmen, gebonk en babygehuil. Ik klampte me vast aan mijn boek en droomde van een klop op de deur en een lieve mevrouw die haar hand naar me uit zou strekken, me weg zou voeren van al dat lawaai en me mee zou nemen naar haar huis. Een oase van rust waar niemand er met mijn lievelingspop vandoor zou gaan, uit mijn spaarpot zou jatten en ruzie met me zou maken.

Als kind uit een groot gezin heb ik de mythe van het 'beklagenswaardige enige kind' altijd grote onzin gevonden. Mensen die beweren dat het zielig is voor een kind om zonder broertjes en zusjes op te groeien – en dat zijn er véél – gaan volkomen voorbij aan de definitie van zielig.

Zielig, dat is als je wordt mishandeld door je ouders. Zielig is honger lijden. Zielig is geen warme jas hebben in een koude winter. Het is daarentegen niet zielig als je opgroeit zonder broers en zussen. Integendeel: ik herinner me uit mijn jeugd vooral de eeuwige concurrentiestrijd, het chronische gebrek aan aandacht van mijn ouders, de onderlinge pesterijtjes en broertjes die op mijn gezicht gingen zitten en een scheet lieten. Natuurlijk, er waren ook leuke momenten. Achterop de brommer zitten bij mijn grote broer, make-uples krijgen van mijn oudste zus, mijn broertje de fles geven. Helaas, ze wegen niet op tegen de nare kanten. Met zijn allen op de achterbank van de auto gepropt worden. Mijn dagboek dat hardop werd voorgelezen door mijn broertjes. Mijn zusjes die tegen me samenspanden. Mijn oververmoeide moeder die altijd het verkeerde kind strafte, zomaar in het wilde weg, als het lawaai haar te veel werd.

Toen mijn vader vorig jaar overleed, kreeg ik vaak te horen hoe fijn het toch was dat we met zo veel broers en zussen waren. 'Jullie hebben zo veel steun aan elkaar, dat is ontroerend om te zien.' Dat zeiden de mensen die ons bij de uitvaart op de voorste rij hadden zien zitten. Inderdaad, het plaatje was mooi. Zes kinderen die intens verdrietig waren omdat hun vader dood was. Maar steun aan elkaar? Laat me niet lachen. Pa was nog niet dood of de een betichtte de ander ervan de zilveren theelepeltjes te hebben gestolen. Broer één was woedend op broer twee omdat die niet meehielp met het ontruimen van het ouderlijk huis. Ik word tot de dag van vandaag ervan verdacht familiefoto's achterover te hebben gedrukt. En over een gouden ketting van mijn moeder is zo'n ruzie ontstaan, dat we hem uiteindelijk maar hebben verkocht. Kortom: ook nu we al lang en breed volwassen zijn, is het nog één grote puinhoop.

En denk maar niet dat ik de enige ben. Een goede vriendin is vroeger zo gepest door haar zusje, dat ze geen spoortje zelfvertrouwen heeft. Je hoeft maar eventjes in haar zelfverzekerde façade van succesvolle theaterproducer te prikken en ze ligt nachten wakker. Een andere vriendin komt uit een gezin van drie kinderen en krijgt elke kerst eczeem van de stress. Dan wordt er met zijn allen 'gezellig' in een hotel gelogeerd en moet ze 24 uur doen alsof ze o zo goed met haar broer en zus kan opschieten. Dezelfde mensen die geen gelegenheid voorbij laten gaan om haar te laten merken dat ze mislukt is omdat ze op haar veertigste nog altijd single en kinderloos is.

Natuurlijk, tegenover al die ellende kun je vrolijke verhalen zetten van gezinnen waar de zussen al twintig jaar elke woensdag met zijn allen naar de markt gaan, en de broers elkaar helpen met timmeren en schilderen, maar niemand kan je de garantie geven dat het allemaal zo idyllisch zal verlopen. Daarom is het ook zo'n onzin om een tweede kind te krijgen omdat dat zo 'leuk' is voor de eerste. Je moet echt alleen een tweede krijgen – of voor mijn part een derde, vierde, vijfde en zesde – als je daar zelf intens naar verlangt. Geloof me, je hebt geen enkele garantie dat je kinderen dikke vrienden worden. Het kan een stuk zieliger zijn om een broer of zus te krijgen, dan in je eentje op te groeien. Franka, die twee dochtertjes heeft van acht en tien, kan erover meepraten: 'Mijn kraamtijd was al een verschrikking. Als ik mijn jongste de borst wilde geven, ging mijn oudste bovenop mijn buik zitten. Ze was woedend dat ze haar troon moest delen met een zusje. Ik hoefde me maar om te draaien of ze kneep de baby. Het treurige is: het duurt eigenlijk tot op de dag van vandaag. Die twee zijn in een eeuwige concurrentiestrijd gewikkeld. Ik zit al jaren tussen twee kibbelende dames. Ik heb vaak gedacht: waren we maar nooit aan een tweede begonnen. Ik snak naar een rustige dag zonder geruzie om niks.'

Marijke vindt het daarentegen heerlijk, twee kinderen. 'Mijn zoons schelen anderhalf jaar en zijn dikke vrienden. Zoals die twee samen kunnen spelen, soms hoor ik ze uren niet, zo druk bezig zijn ze dan met hun games en Lego. Natuurlijk hebben ze ook hun ruzies, maar meestal is hun verstandhouding prima.'

Kortom: een tweede kind krijgen omdat het anders zo zielig is voor de eerste, is zoiets als Russische roulette. Je moet maar hopen dat die kinderen met elkaar kunnen opschieten, anders heb je de komende twintig jaar pech.

Je hoeft óók geen tweede kind te krijgen omdat enige kinderen zogenaamd verwende, overbeschermde egoïsten zijn die niet kunnen delen en altijd hun zin willen krijgen. Niks van waar, allemaal fabeltjes. In Europa en de Verenigde Staten is er uitvoerig onderzoek naar gedaan en uit alle onderzoeken blijkt dat enige kinderen prima scoren op het gebied van sociale vaardigheden. Ze zijn over het algemeen heel gelukkig, populair bij leeftijdsgenoten, goed bestand tegen frustraties en beschikken vaak over meer doorzettingsvermogen dan andere kinderen. Ze zijn niet angstiger, egocentrischer of eenzamer. Er is slechts één verschil, en dat ligt op intellectueel gebied. Enige kinderen doen het beter op school, hebben meer zelfvertrouwen, meer interesses en een hoger IQ. De reden ligt voor de hand: ouders met één kind hebben meer tijd om het aandacht te geven en voor te lezen. Ook worden enige kinderen vaker bij een volwassen gesprek betrokken, waardoor ze over een grotere woordenschat beschikken.

Zelf heb ik maar één kind gekregen. Niet omdat ik daar bewust voor koos, maar omdat mijn leven zo is gelopen. Zijn vader en ik zijn vlak na de geboorte uit elkaar gegaan en daarna ben ik nooit meer een man tegengekomen met wie ik graag een kind wilde. Ja, één keer, maar hij had al een tienerzoon en voelde er niets voor om helemaal opnieuw te beginnen. Heb ik dat jammer gevonden? Ja, heel erg. Toen ik de veertig passeerde, heb ik een tijdje in een dip gezeten omdat de kans op een tweede definitief was verkeken. Is het zielig voor mijn zoon dat hij geen broers en zussen heeft? Toen ik het hem vroeg, haalde hij zijn schouders op: 'Ik heb het nooit erg gevonden, ik wist niet beter.' Ook toen ik doorvroeg, kwamen er geen diepe emoties naar boven. Hij vond dat hij een fijne jeugd had gehad, er mocht altijd een vriendje mee op vakantie en het was misschien ook wel lekker, al die aandacht. Zelf heb ik het weleens sneu gevonden voor hem, dat hij alleen met een moeder opgroeide. Hij had geen broer of zus in de buurt om het voor hem op te nemen als ik onredelijk deed. En ik vond hem erg gevoelig voor mijn stemmingen. Geen wonder: als je met zijn tweetjes het leven deelt, ga je elkaar haarfijn aanvoelen. En dat is niet altijd prettig als het met de moeder eventjes minder goed gaat.

In Nederland groeien bijna een miljoen kinderen op zonder broer of zus. Niet altijd is dat een bewuste keuze van de ouders. Het komt ook omdat huwelijken nu eenmaal spaak lopen en we later aan kinderen beginnen, waardoor het vaak bij eentje blijft. Wat ik zelf moeilijk vond aan het hebben van één kind was dat alle aandacht op hem was gericht. Ik had maar één kind om mijn ambities op te richten en het was dan ook even slikken toen hij het vwo inruilde voor de havo en niet ging studeren. Mijn ouders hadden dat probleem niet: tegenover elk kind dat bleef zitten, stond er wel eentje dat met een mooi rapport overging naar de derde klas van het gymnasium. Ik heb ze er nooit op kunnen betrappen dat ze zichzelf de schuld gaven als een kind minder goed presteerde, iets waarvan ik zelf vrij veel last heb gehad.

Tegenover die overdosis aan moederlijke zorgen, stonden weer veel positieve zaken. Mijn zoon en ik konden op vakantie naar verre landen, hij kreeg alle boeken die hij maar wilde en ik heb hem financieel kunnen helpen bij het kopen van een eigen huis. Iets wat ik me niet had kunnen permitteren als ik meer kinderen had gekregen. Grappig is dat mijn zoon, zoals veel andere enige kinderen, eigenschappen heeft van zowel het jongste als het oudste kind. Hij heeft het zelfstandige en zelfbewuste dat oudste kinderen vaak kenmerkt. Een echte leider, die graag het initiatief neemt. Aan de andere kant heeft hij typische karaktertrekken van het jongste kind: hij is een vrolijke flierefluiter die lak heeft aan elke vorm van gezag.

Het enige waar ik me weleens zorgen over maak, is de grote verantwoordelijkheid die hij in zijn eentje moet dragen als ik oud en ziek zou worden of – nog erger – dement. Toen mijn eigen ouders veel zorg nodig hadden, kon ik de taken delen met mijn broers en zussen. Er was er altijd wel eentje die boodschappen deed, voor de tuin zorgde of hen naar de dokter reed. Dat komt later allemaal neer op de schouders van mijn zoon. En mijn hart krimpt helemaal bij de gedachte dat hij alleen overblijft als ik sterf. Ik zie hem al in zijn dooie eentje mijn begrafenis regelen. Aan de andere kant: misschien heeft hij tegen die tijd wel vrouw en kinderen, mijn broers zullen hem ongetwijfeld zo veel mogelijk bijstaan, net als zijn neven en nichtjes en mijn vrienden. En hij strijkt in zijn eentje de erfenis op, dat is toch leuker dan dat die in vele partjes moet worden gehakt.

Nog een troost: mijn enige zoon bevindt zich in goed gezelschap. Ingrid Bergman, Jean-Paul Sartre, Thea Beckman, Maria Montessori, Clairy Polak, Björk, Hans Christian Andersen, Jan Cremer, Robert Long, Walter Cronkite, Jan des Bouvrie, Harry Mulisch, Liesbeth List, Franklin Roosevelt en Ruth Rendell zijn allemaal als enig kind opgevoed. En wat we ook over deze mensen kunnen beweren, in ieder geval niet dat ze zielig zijn.

PESTEN. HET SLACHT- OFFER IS DE PINEUT

Als je kind wordt gepest, heb je als moeder een groot probleem. De juf legt het probleem bij het slachtoffer, de omgeving vindt dat je overdrijft en andere ouders reageren vaak vijandig en bot. **DOOR DAPHNE HUINEMAN**

Marleen: 'Ik merkte niets aan Bjorn. Hij ging zonder morren naar school, kreeg goede rapporten, voetbalde op straat, en thuis was hij vrolijk. De juf zei bij het bespreken van zijn paasrapport echter dat hij op het schoolplein veel achter haar aanliep. Hij klaagde ook vaak over buikpijn als ze gingen buitenspelen na de lunch. We vroegen hem de weken na dat gesprek regelmatig of hij het naar z'n zin had op school; dan knikte hij heel heftig van ja, alles ging prima. Nee, er was niets, echt niet. O, kwamen er de laatste tijd zo weinig vriendjes mee? Nou, hij zou volgende week Jelle weer eens vragen.

In de zomervakantie gingen we naar mijn zus in Amerika, en daar – heel ver van school – kwam het eruit. Dikke tranen: "Ik wil niet meer terug." Huh? "Iedereen haat me." Mijn vage vermoedens bleken waar, en nog veel erger dan ik had gedacht. De hele klas had zich tegen hem gekeerd. Onder leiding van Tycho, een jongetje dat hem het jaar ervoor juist enorm had proberen te claimen. Uit wraak had hij samengespannen met Bjorns twee beste maatjes en gaandeweg iedereen meegesleept.

Het was de totale terreur: niemand in de klas mocht met Bjorn spelen of hem uitnodigen, anders werden ze bedreigd en buitengesloten. Bjorn werd afgeperst; hij moest geld uit zijn spaarpot halen en deed dat ook, omdat hij hoopte dat het dan zou stoppen. Het werd natuurlijk alleen maar erger. Onder de tafels schopten alle jongens hem de schenen blauw, terwijl de meisjes giechelden – en ik maar denken dat ze blauw waren door het voetballen op straat. En dan de dingen die ze zeiden: "Mijn broer heeft bruine band karate en gaat je doodschoppen." Die jochies waren zeven!'

Zeven, is dat niet een beetje jong om met de dood te worden bedreigd? Welnee. Mijn dochter van drie kwam eens thuis met een doffe blik in haar ogen: 'Mama, Xander zegt dat hij me dood gaat maken.' Een paar weken later zat er een bult op haar hoofd: ze was door haar beste vriendje uit een speelhuisje geduwd, 'dat moest van Xander'. Wekenlang sleepte ik mijn voorheen zo zelfverzekerde dochter als een mud aardappelen de crèche binnen. En dan de blik in haar ogen als ik haar daar achterliet: mama, hoe kun je me dit aandoen? Op een dag hoorde ik haar kwelgeest tegen een ander jongetje zeggen: 'Hou op met wiebelen of ik breek je nek.' Later begreep ik dat het een uitdrukking was die zijn vader veelvuldig gebruikte als zijn kind aan tafel op zijn stoel zat te wippen.

Een kind dat wordt uitgescholden, geslagen, bedreigd – het breekt je moederhart in duizend stukjes. Schrale troost dat dagelijks ongeveer 350.000 kinderen met buikpijn naar school gaan. Een op de vier basisschoolleerlingen in Nederland wordt weleens gepest, een op de zes geregeld. Dat zijn er zo veel dat je de slachtoffers niet kunt typeren als onzekere, wereldvreemde nerds; het kan iedereen overkomen. Op de middelbare school zakt het aantal pestslachtoffers naar acht procent, nog altijd een à twee leerlingen per klas. Mark Rutte, Wouter Bos, Femke Halsema, Paul de Leeuw, Dewi, Birgit Schuurman, Arthur Japin, Anita Witzier, Sandra Bullock, Victoria Beckham en Justin Timberlake, allemaal zijn ze door klasgenoten gekleineerd (Rutte), in elkaar geslagen (Japin), met fiets en al van de dijk geduwd (Witzier), de ribben gebroken (Timberlake).

Geen wonder dat de tijgerin in een moeder bovenkomt als haar kind wordt getreiterd. Mijn moeder heeft eens met een baksteen staan zwaaien voor de deur van een klasgenootje. Ze kon ternauwernood door mijn vader worden weggesleept voor er gewonden vielen. Goed, geen baksteen, je gaat het aankaarten op school en bij de ouders van de daders. En dan?

'Nou, dan wordt het allemaal nóg erger', zegt Marleen, moeder van Bjorn. 'Het hoofd van de onderbouw trok meteen het kaartje van een psycholoog. Grappig hoe slachtoffers het in Nederland vaak hebben gedaan, terwijl daders vaak worden gezien als zielig. "Die jongens komen alle drie uit moeilijke gezinnen", fleemde dat mens. Ja, én? Waarom moest mijn zoon lijden onder de puinhoop die anderen van hun levens maakten? De juf had nooit iets gemerkt van een half jaar getreiter. Ik nam haar dat niet kwalijk, mij was het ook ontgaan, maar haar reactie was verder zo kil: "Nou, Bjorn kan behoorlijk zuigen, hoor." Is dit nou het enige wat je als juf te zeggen hebt als een kind in je klas dit alles te verduren krijgt? Toen ik over het schoolplein naar mijn fiets liep, wilde ik huilend mijn man bellen. Tot ik dacht: Bjorn heeft dit nooit kunnen doen, gewoon een potje janken. Omdat hij zich schaamde voor ons en wist dat niemand op school hem zou helpen.

Ik belde een bevriende moeder in de klas, en luchtte ongegeneerd mijn hart. Haar reactie was totaal anders dan ik had verwacht. "Met de dood bedreigd? Joh, je blaast het op. Maar vervelend hoor, dat Bjorn niet lekker ligt in de groep." Niet lekker in de groep? Op een sneaky manier legde ze het probleem meteen weer bij Bjorn. Misschien was ze op haar hoede omdat haar zoon had meegedaan.'

De moeders van de pestkoppen bleken al gebeld door de school, en waren tot de tanden verbaal gewapend. 'Sorry hoor, maar je plaatst jezelf en je kind in zo'n vreselijke slachtofferpositie, daar kan ik helemaal niks mee', zei de moeder van de leider toen Marleen haar benaderde. Nummer twee ontkende gewoon alles: 'Ja, natuurlijk zal er weleens wat gebeuren, maar wat wil je nou? Dat ik de hele dag naast mijn zoon ga zitten?' Empathie met een knulletje van zeven dat na drie jaar weer in zijn bed plast, ho maar.

Op de middelbare school worden pesterijen vaak subtieler en minder fysiek. Maar niet minder gemeen. Janine: 'Mijn dochter Jade voelde zich vanaf dag één al niet zo op haar gemak op het lyceum. Er heerst daar zo'n cultuurtje van "Hai schattie – zoen, zoen – oh wat zie jij er leuk uit vandaag!" Dat boeit haar allemaal niet, en ze is nuchter en zeker genoeg om er niet in mee te gaan. Alles ging redelijk, maar aan het einde van de tweede kwam Jade opeens elk tussenuur thuis, altijd alleen, soms in tranen. Dan was ze buiten bij de meisjes uit haar klas gaan staan en had ze te horen gekregen: "Heb je niemand anders om mee te praten?" Of een meisje had in de klas pontificaal haar tafel verschoven om maar niet naast haar te hoeven zitten.'

Jades mentor wees de nare meiden terecht, maar zo hard dat het juist kwaad bloed zette. 'De laatste week van de zomervakantie kwam Jade erachter dat ze op Hyves een hetze tegen haar waren begonnen. Brullend belde ze me op mijn werk. Ik ben naar huis gekomen en gaan bellen. "Ik laat mijn dochter haar zaken zelf oplossen", zei de eerste moeder die ik sprak. Maar ja, het was Jade allemaal boven het hoofd gegroeid, dankzij de hetze van háár dochter. Die week kreeg Jade midden in de nacht een telefoontje van een onbekende jongen met allemaal nare teksten. Ze was helemaal overstuur. Na enig uitzoekwerk bleek die jongen een vriendje van een van die pestkoppen. Haar moeder dus maar weer gebeld: "Hoe haal je het in je hoofd me voor de tweede keer in een week te bellen", riep zij. Toen heb ik gezegd: "Zolang mijn dochter last heeft van jouw dochter, heb jij last van mij." Dat hielp, het gaat nu beter.'

We hebben het hier niet over de Tokkies in de achterstandswijk, maar over hoogopgeleide ouders die elkaar kennen van het studentencorps en de hockeyclub; van die mensen die via de Rotary of de Lady's Circle liefdadigheidsfeestjes organiseren voor (hoe ironisch) getraumatiseerde oorlogsslachtoffertjes en hun kinderen leren dat je taartje zegt en niet gebakje. De school van Bjorn heeft al jaren een van de hoogste Cito-resultaten van Zuid-Holland. Dat vinden deze ouders heel belangrijk, want met een vmbo-advies kun je je niet op de hockeyclub vertonen. Onbelangrijk is blijkbaar of hun kinderen opgroeien tot ongevoelige hufters, die denken dat ze overal mee weg kunnen komen. Bezemen bijvoorbeeld, de nieuwste cyberpesttrend, waarbij filmpjes van meisjes op YouTube worden gezet met gore teksten en soms zelfs adresgegevens.

Wie moet er niet snikken bij het prachtige Kinderen voor Kinderenliedje *Kom je strakjes bij me spelen*. En het kinderboek met cd *Kijk eens verder dan je neus lang is!* van Magali de Frémery – dat op een mooie manier zijdelings de machinaties van 'anders zijn' en buitensluiten behandelt – is terecht een hit. Sukkeltjes als Harry Potter en Dolfje Weerwolfje zijn kinderhelden, maar in het echte leven is er voor stoethaspelige jampotbrildragers weinig sociale eer te behalen. 'Zo, die is weg', schijnt Bjorns kwelgeest hardop in de klas te hebben gezegd, toen hij naar een andere school was vertrokken. Het was duidelijk wie hier glorieerde.

De reacties op pesten zijn vaak een fraai staaltje van *blaming the vic-*

tim: een defensieve schoolleiding, die het probleem zo veel mogelijk bij het slachtoffer legt en onder het tapijt schuift, een sussende omgeving ('Je overdrijft') en ouders die meteen de bal terugkaatsen. Met als gevolg een groot gevoel van wanhoop en onmacht omdat je je eigen kind niet de veiligheid kunt bieden die het verdient.

Wat dan te doen? Nou, van alles. Zo veel, dat je na vijf minuten surfen al scheelziet. Toets 'pesten' in op Google en je krijgt 2.650.000 hits. Er zijn portals (zoals het door het ministerie van OCW gesubsidieerde pestweb.nl), talloze brochures, boeken, antipestmethodes (No Blame, Leefstijl, Kanjertraining, Rots en Water), trainingen voor ouders, kinderen, leraren, hulpverleners. De ene methode garandeert het verminderen van pesten met negentig procent, de andere claimt al duizenden scholen te hebben geholpen en beweert dat alle overige slechts aan symptoombestrijding doen. Kortom: pesten is *big business*. In de VS is er overigens alweer een bedrijfstak bij: die van de antipestadvocaat. Er gelden tegenwoordig strenge *Anti-Bully Laws* voor scholen, en ouders kunnen de school aanklagen. Wat ze massaal doen, want het pesten is door de nieuwe wetten niet verminderd.

Zitten wij in Nederland qua pestbeleid wél op het goede spoor? Als ik alle onderzoeken (vaak van het pestgilde zelf) moet geloven, is pesten op scholen de afgelopen twintig jaar iets afgenomen. Het aantal meldingen is wel gestegen, maar dat ligt waarschijnlijk aan het feit dat het onderwerp de laatste jaren meer op de agenda staat, scholen pestprotocollen hebben en speciale aanspreekfiguren. Zelf ben ik dit artikel ook begonnen met het larmoyantste verhaal dat ik hoorde, maar heeft het wel zin om bij dit onderwerp zo sterk te focussen op de 'goede' en de 'slechte' partij, het slachtoffer en de pestkop? Bij pesttrainingen in klassen wordt ook ingegaan op de andere spelers in het pestdrama, de meelopers, de meelachers, de bange massa die doet alsof z'n neus bloedt en de enkele dappere helper die ertegenin gaat. En dan kunnen de rollen ook nog wisselen: veel *bully's* bijvoorbeeld zijn of worden zelf gepest.

Pesten is een groepsprobleem, roepen de deskundigen terecht, maar wat ik niet snap is dat de rol van volwassenen zo onderbelicht blijft. Want net als bij de vermaledijde helpdesks – waar de mensen die de telefoon opnemen ook niet de schuldigen zijn – zou pesten nooit (zo erg) gebeuren als 'de managers' er niet mee zouden instemmen. Denk aan de ouders die hun kinderen weigeren terug te fluiten, maar ook aan slappe leerkrachten. Mijn beste vriendin op de lagere school was een sprietje met veterschoenen. Lief, superslim, een jaar jonger en sociaal minder begaafd dan de rest. 'Ga maar allemaal een boek lezen, jongens!' riep de meester toen zij haar spreekbeurt moest houden. Het was zijn wraak op een voorval van een week daarvoor, waarbij ze tijdens de spreekbeurt van een ander kind een domme vraag had gesteld, waaruit bleek dat ze niet goed had geluisterd. Gniffelend deden de meesten wat hij zei. Pijn is fijn, althans: andermans pijn.

Goed, pesten is dus een groepsprobleem, en iedereen in de groep is er op de een of andere manier bij betrokken. Zie je nu nog steeds alleen maar een klas voor je? Vergeet het. Overal waar mensen langdurig onvrijwillig bij elkaar zijn, willen ze zich meten, komen ze in conflict, en is het raak: op de crèche, in het leger, op het werk en zelfs in bejaardentehuizen. Onlangs meldde het Journaal nog uitgebreid hoe ouderen elkaar naar het leven staan. En wat is de onveiligste plek van allemaal? Het gezin, volgens schrijfster Renate Dorrestein 'het kleinste concentratiekamp ter wereld'. Ja hoor, het is uiteindelijk toch weer allemaal onze schuld, hoor ik moeders al grommen. Inderdaad. Als pesten een groepsprobleem is, kan het toch geen kwaad eens te kijken naar de club waarin je kind het meest verkeert? De link tussen gezinssituaties en pesten op school is vele malen wetenschappelijk onderzocht, en altijd kwam er hetzelfde uit. Kinderen die pesten schetsen hun gezin over het algemeen als minder hecht dan gemiddeld en hebben een autoritaire vader die soms met harde hand regeert. Ze krijgen weinig vrijheid en er is in het gezin bovengemiddeld veel ruimte voor (verbale) agressie en weinig voor onderhandelen en uitpraten. Vaak worden pesters zelf op hun kop gezeten door broers en zussen. Gezinnen van slachtoffers zijn vaak hechter, maar ook hier is de band met de vader vaak niet goed (genoeg). En de moeders van slachtoffers hebben vaak de neiging hun kinderen te veel te beschermen. Wat je in het algemeen van daders én slachtoffers zou kunnen zeggen, is dat ze een geringe capaciteit hebben om onderlinge conflicten op te lossen. En hun ouders blijkbaar ook niet, gezien hun grote maar kwetsbare ego's en meterslange tenen. We moeten dus toe naar een situatie waar kinderen niet over-assertief, maar open en ontspannen met elkaar omgaan. Maar ook dan zijn botsingen en de bijbehorende pijn niet uitgesloten. We stoten allemaal onze neus weleens in de omgang met anderen, maar daar kunnen we ook iets mee doen. Zoals mijn vriendin Petra en de moeder die zij laatst aansprak op het pestgedrag van haar zoontje. Rustig hoorde die Petra's verhaal aan, en zei toen met een glimlach: 'Ja, dat klinkt inderdaad zoals mijn zoon zou kunnen doen.' Ze kwamen gezamenlijk tot de conclusie dat de één wel wat meer meegaandheid zou kunnen gebruiken, en de ander juist wat meer bravoure. Ze praatten met hun zoons, brachten de juffen op de hoogte, en hielden het in de gaten. Het trok bij. Zo kan het dus ook.

Er ligt een dik pak sneeuw en het is min vijf graden als ik mijn zoontje naar school breng. De juf van een parallelklas staat sneeuwballen te gooien met haar kleuters. Eén knulletje – zo'n ventje dat ik al anderhalf jaar met een geslagen-hondenblik door de gangen zie schuifelen – staat aan de kant. 'Ik heb geen wantjes bij me', piept hij. 'Ja, kan ik er wat aan doen dat je ouders die niet hebben meegegeven? Ga maar naar binnen', snauwt de juf. Ziet zo'n vrouw niet wat de consequenties kunnen zijn van het voorbeeld dat zij geeft? Alle kinderen – óók de stille, onhandige, afwijkende, irritante exemplaren – horen op te groeien in een sociaal veilig klimaat. Hoongelach is misschien mijn deel als ik de termen wellevendheid, fatsoen, tolerantie en opkomen voor zwakkeren laat vallen. Maar 57 procent van de pesterijen op de basisschool stopt binnen tien seconden als medeleerlingen ingrijpen. Moeten we bovenstaande deugden dus niet eens afstoffen en zélf massaal het offensief inzetten tegen onderlinge terreur, in plaats van alles uit te besteden aan overheid, school, psycholoog en Kanjertrainer?

Eén ding is zeker: vanaf nu laat ík niets meer passeren. En als je me schoffeert of wegwuift – moederloeder of lamgeslagen leraar – dan pak ik je terug. In het bejaardentehuis.

V

VADERTJE & MOEDERTJE

1 KIBBELEN OM DE PINDAKAAS **2** VADER WERKT LIEVER
3 MAAR WE HOUDEN NOG WEL VAN JULLIE **4** STIEF, BACK OFF

KIBBELEN OM DE PINDAKAAS

Je begint als minnaars en voor je het weet speel je vadertje en moedertje en kibbel je over de chaos in huis. Dan draait het alledaagse leven alle liefde en erotiek de nek om. 'Verdomme, heb je nou weer geen boodschappen gedaan?' **DOOR CORINE KOOLE**

Een paar keer per week gebeurt het dat ik naar mijn kinderen kijk en me erover verbaas dat het mijn kinderen zijn. Ik kom mijn straat inrijden en zie mijn dochter gebukt onder een heg zitten en het duurt een deel van een seconde voor ik me realiseer wie ze is. Even zie ik haar met de ogen van een vreemde. Ik zie haar slonzige blonde piekhaar onder de capuchon van haar sweater, haar voeten in de paarse schoenen. Ze komt blij naar me toe en ik denk: ik ben haar moeder. Die vervreemding, dat ik het ben die dit kind dat toch al zes jaar het mijne is, gebaard heb, is een vreemde sensatie. Ik voel me soms alsof ik geadopteerd ben door mijn eigen gezin. En misschien is dat zelfs voor mij de enige manier om deel uit te maken van een zo dwingende structuur.

Er gaat iets geforceerds uit van een gezin. Een gezin is een bulldozer van gezelligheid en van zo doen wij het. Een leuke vrouw copuleert met een leuke man, ze krijgen kinderen en maken zich niet langer druk om de wereld maar om elkaar.

Wanneer je, zoals ik gister, op een mooie zondag met de trein van Amsterdam naar Alkmaar rijdt, zie je gezinnen op de fiets op weg naar het strand. Vader voorop, moeder erachter, en nog twee of drie kinderen ernaast op hun kinderfiets. De aandacht van de ouders is gericht op de slingerende fietsen, op de stoplichten waarvoor tijdig vaart geminderd moet worden, op kindervoeten die niet tussen de spaken mogen komen en op voldoende pakjes sap in de tas, want uitdroging dreigt permanent. De bomen van de Eeuwige Laan zijn scheef als altijd, en soms roept moeder: 'Jongens, kijk eens wat mooi', maar het is niet meer dan een kreet, want haar werkelijke aandacht betreft de tweejarige voorop; of het niet te fris is zonder vestje, en of het kind voldoende zonnebrand op zijn smoeltje heeft. De leuke man en de leuke vrouw op de fiets duwen ieder een kind voort en roepen dingen tegen elkaar als: 'Ik dacht dat jij aan de emmers en schepjes had gedacht.' En: 'Die tas met eten zou jij toch meenemen!' De kinderen hebben het naar hun zin, als het meezit, en je kunt dan ook makkelijk zeggen dat het gezin een instituut is dat kinderen helpt naar de volwassenheid en hun ouders naar God. De frictie, het tegengestelde belang van kinderen en ouders, is de fietsende gezinnen aan te zien. Zelden zie je echte blijheid.

Wanneer ik mezelf zou zien fietsen met mijn drie kinderen, zou ik dan ook medelijden hebben met ons? Ik ben er wel voor hen, ik ben de spil van het gezin, ik weet waar de voetbalbroekjes zijn en de hockeykousen, ik kan het schoollied meezingen en ken de teksten van Rihanna en Justin Bieber en de geestige parodieën. Als ik op zaterdagochtend drie Vespa's zie staan in de tuin, weet ik precies welke vrienden van mijn zoon zijn blijven slapen. Het is niet dat ik niet betrokken ben, of niet van mijn gezinsleden houd. Nee. Met gebrek aan liefde heeft het allemaal niets te maken. Het is het verdriet om alle onverenigbare verwachtingen en verlangens dat het hebben van een gezin soms de keel doet dichtknijpen.

Vorige week waren we op vakantie in Normandië. Ik stond vroeg op, om half acht, het hele huis sliep, ik sloop naar mijn laptop, en net op het moment dat ik hem aan wilde zetten, mijn agenda geopend naast me neer had gelegd, pen binnen handbereik, net op het moment dat zich dat warme, alles bedekkende gevoel van me meester maakte dat ik heb als ik aan het werk ben, het troostende gevoel dat ik niet besta, er niet ben, net op dat moment hoorde ik vrolijke kindervoetjes van de trap. Vrolijk, ah, jazeker, geen enkele reden om chagrijnig te worden, geen enkele reden boos te zijn. Een kleine piep van de deur. En daar stond ze voor me, mijn jongste, een zesjarige in haar Petit Bateau-pyjama: 'Hallo mama.' Ik tilde haar op en zette haar met haar blote voeten boven op de tafel. Om haar heen drie ramen die allemaal uitzicht boden op zee, een grauwe zee dit jaar, bruin zelfs van de algen en het omgewoelde zand door de storm van de afgelopen dagen, ik deed haar pyjamaatje omhoog en kuste haar navel, en ik dacht: wat lief, en wat is ze zacht, wie anders dan zij kijkt me iedere ochtend zo intens gelukkig aan, wie anders dan zij probeert stiekem als niemand kijkt haar hand in mijn jurk te laten glijden, en het zachte van mijn borsten aan te raken, alsof ze nog steeds die baby is. Met spijt schoof ik mijn laptop weg. Ik zei: 'Je bent lief en ik hou heel veel van je, maar ik wil graag nu werken, liefje', en ze zei: 'Jaha, dat weet ik, ik ga een film kijken.'

En precies dit zijn nu de momenten dat ik het gezin een warm hart toedraag, de momenten dat iedereen blij is, dat we met zijn allen in hetzelfde huis zijn, en allemaal onze eigen dingen doen. Maar meestal is een gezin dit: om zeven uur de wekker, opstaan, douchen, naar beneden om de sinaasappelen te persen en de broodtrommels te vullen, vijf dagen in de week; een gezin is iedere zaterdag om half acht opstaan en naar Heemstede rijden of Bloemendaal voor de hockeywedstrijd, een gezin is kijven aan tafel, kinderen wijzen op hun verantwoordelijkheden, een gezin is tussen je mail een brief vinden van een moeder die een voetbalsok kwijt is, en dan de hele dag het geluid horen van alle mails van moeders die melden helaas, helaas geen sok gevonden te hebben. Kunnen we daar iets aan doen? Die talloze berichten van ouders die wel of niet kunnen rijden vanaf de bloemenstal?

Een gezin is een fabriek. Je kunt je man beter uitzoeken op het vermogen samen een bedrijf te leiden dan op een gezamenlijke smaak van boeken en films. Helaas was ik 24 toen ik mijn man ontmoette en kon ik me mezelf niet voorstellen als moeder en echtgenote. Ik wilde hem hartstochtelijk graag. Ook al was hij zeventien jaar ouder dan ik. Ik kon met niemand zo lachen als met hem en ik werd intens verliefd op zijn geestige, autonome blik op de wereld. Wij kunnen helemaal niet samenwerken. Wij hebben totaal andere ideeën over de interpretatie van de houdbaarheidsdatum van een pak melk. Dat is het gezin, die gluiperige intrigant die van twee minnaars twee kibbelende kapiteinen maakt. Het gezin zet van de ene op de andere dag de boodschappen en de orde in huis boven aan de hiërarchie van toetsstenen van het huwelijk. Plotseling en zonder enige waarschuwing vooraf, gaan de gesprekken over

117

Dirk van den Broek die goedkoper is dan Albert Heijn en dat kinderen het verschil toch niet proeven. We praten over de restjes van de maaltijd: terug in de koelkast, of in de vuilnisbak? We praten over de vloer die ik iedere dag toen de kinderen kropen, dweilde: overdreven, of noodzakelijk? We praten over de handdoeken die de kinderen laten slingeren op de badkamervloer en hoe hij zijn best doet hen discipline bij te brengen maar zich door mijn walgelijke neiging tot chaos gedwarsboomd ziet. Wij is van iets tintelend exclusiefs tot iets moordend vanzelfsprekends geworden en we verbazen ons erover dat de nieuwsgierigheid minder kans krijgt, uitgesteld wordt tot na elf uur 's avonds, en dat we niet bij machte zijn daar iets aan te veranderen. Aanvankelijk proefden we alle nieuwe woorden die met het gezin ons huis in kwamen, we lieten termen als rompers en diksap, en later hockeystick en schooltuinen en oudergesprekken onwennig door onze mond rollen, we lachten naar elkaar wanneer we ze uitspraken, om ons ervan te verzekeren dat de ander de nieuwe situatie net zo onwennig en absurd vond – om de ontluistering voor te zijn. Maar ook dat verandert. Tegen de tijd dat je oudste kind zestien is en de jongste zes, snauw je ongegeneerd dat je die bruin geworden bloemkool natúúrlijk de vuilnisbak in geflikkerd hebt, en nee, je had geen zin om de bruine randjes eraf te snijden en de witte stronken nog te gebruiken, en ja, die andijvie is een grauw plasje geworden in de groentela toen hij een week op reis was, sorry, sorry. En nu we het toch over eten hebben, hoe vaak moet je nog zeggen dat jouw kinderen alleen biologisch vlees mogen en geen varkensschnitzels van de supermarkt?

Ja. Het gezin. Het zijn niet de opvoedproblemen, de grote kwesties, de zware verantwoordelijkheid van samen kinderen groot brengen, samen een toekomst opbouwen, die het gezin soms tot een kwelling maken. Het zijn de trivialiteiten, de pindakaaspotten waarvan het deksel niet is dichtgedraaid, de kinderen die verveeld klieren wanneer je ze mee uit eten neemt, het gehang op sportvelden, die de liefde, erotiek en het verlangen de nek omdraaien. Het zou me niet verbazen als de dagelijkse gang naar school, het kletsen op het schoolplein, luizen in de klas, een verwoestender effect op een relatie hebben dan een enkele keer vreemdgaan. Je kunt beter een keer met de buurman zoenen dan een gezin stichten. Voor een kind is het heerlijk dat iedere dag dezelfde kleur heeft.

Maar een relatie wordt snel vadertje en moedertje spelen wanneer alle weken volgens hetzelfde ritme verlopen, en voor je het weet ben je elkaar kwijt. Voor de liefde is twijfel en onzekerheid een weliswaar martelende, maar vruchtbare bodem. Liefde gedijt bij verlangen en gezien worden. In de liefde zoek je naar extremen, de liefde is egocentrisch, maar wie een gezin heeft moet een groot hart hebben en lijdzaam toezien dat de kinderen je leegzuigen en dat die man die je met complimenten overlaadde, niet zozeer ineens minder van je houdt, maar op een andere manier, misschien zelfs als de moeder van zijn kinderen, en wie wil er nou moeder zijn in de ogen van een man?

In *A History of Violence*, een meesterwerk van David Cronenberg, zit een scène die op een sublieme manier het ontwrichte huwelijk laat zien en de onontkoombaarheid daarvan. Na een ruzie rent de vrouw naar boven en de man rent achter haar aan. De vrouw hoort hem aankomen, ze begint sneller te rennen maar hij pakt haar bij een enkel, en dan beginnen ze te vrijen, halverwege de trap. Ze klauwen, klampen zich aan elkaar vast, neuken woedend en hartstochtelijk in de hoop terug te vinden wat ze voorgoed kwijt zijn. Het leven heeft hen uit elkaar gedreven, ze hadden het niet voorzien en voelen zich bedrogen door hun eigen gebrek aan verbeelding. Hoe hebben ze het zo ver kunnen laten komen, wat dom dat ze het niet hebben voelen aankomen. Te laat.

Het schijnt dat de hoeveelheid testosteron bij een man kort na de geboorte van zijn kind afneemt. Hij wordt minder gevoelig voor andere vrouwen, en huiselijker. Dat duurt een half jaar. Dan schiet de testosteron weer de lucht in. Vrouwen zijn veel selectiever als het gaat om de geslachtsdaad. In hun vruchtbare periode hebben ze een sterke voorkeur voor mannen met veel testosteron, haantjes dus, een gril waaraan ze beter niet kunnen toegeven als ze op zoek zijn naar een lang en gelukkig huwelijk.

Zelf voel ik wel wat voor het Surinaamse model, waarbij vrouwen verschillende kinderen krijgen van verschillende mannen, en met een andere vrouw die hun ideeën over de houdbaarheidsdata van de vla en de melk deelt, alle kinderen opvoedt. Wanneer ik met vrouwen op vakantie ben, gaat alles vanzelf. Vrouwen weten dat het prettig is om de kinderen op tijd in bed te hebben, vrouwen kennen de waarde van een opgeruimd huis. Een man wil altijd nog een tweede en derde glas wijn als je vlak voor het eten nog even met zijn allen wat gaat drinken, waardoor de hele avond een uur uitloopt. Evolutionair valt er ook wat te zeggen voor het krijgen van kinderen van verschillende vaders: hoe groter de onderlinge genetische verschillen, hoe groter de kans dat er één kind bij zit dat een epidemie overleeft.

Is er dan werkelijk zo weinig lol te beleven aan het traditionele gezin? Neu, er gloort ook hoop. Zodra de kinderen een flink eind op weg zijn en de middelbare school hebben bereikt, kunnen de danig overwerkte moeder en vader weer ademhalen. Moeder kan weer wat vaker naar sport, er is geen ruzie meer over etenstijd, want voor oudere kinderen is zeven uur, half acht ook goed. En ja, langzaam worden de gezinsleden als vrienden.

Tijdens de laatste week van de afgelopen meivakantie waren we thuis met alle drie kinderen. In de vakantie mag er onbeperkt gelogeerd worden, dus zaten we soms met zijn tienen aan tafel. Iedereen at, kletste. Mijn zoon heeft een vriendin die enorm in de smaak valt bij de dochters, er werden filmpjes bekeken op YouTube, gesproken over de komende werkweek, geroddeld, geplaagd en gelachen. Vier lange dagen lang. Mijn man keek me glimlachend aan alsof hij me de hand wilde schudden. Ah, dacht ik, het is gelukt. We hebben ons een hoedje gedweild, gesjouwd, gekibbeld, maar hier zitten drie gelukkige kinderen aan tafel, met hun vrienden. Het is gelukt om iets op de wereld te zetten dat, als het meezit, over vijftig jaar nog bestaat en dat moeten al die boeken en nog te schrijven boeken nog maar bewijzen.

Papa wil geen staartjes vlechten, billen vegen en badkamers dweilen. Papa metselt veel liever een muurtje of een coalitieakkoord. Daar helpt geen lieve moeder aan – laat staan een Postbus 51-spotje. **DOOR ELS ROZENBROEK**

Roel wordt meteen weer chagrijnig als hij aan zijn vakantie terugdenkt: 'Ik heb voornamelijk aan zo'n draaimolentje staan zwiepen. Mijn twee dochtertjes konden er geen genoeg van krijgen. En maar zwaaien als ze voorbij zoefden en maar krijsen als ik niet hard genoeg draaide. Toen ze eindelijk klaar waren, moesten ze op de schommel. En door wie moesten ze geduwd worden? Juist.'

Klinkt harteloos, die Roel. En toch is het een vader die zielsveel van zijn driejarige tweelingdochters houdt. Vooral als ze schoongewassen in hun pyjamaatje in hun bed liggen, duim in de mond, met rode wangen luisterend naar het verhaaltje dat papa voorleest. 'Dan zijn ze om op te vreten, die twee. Maar het lijkt wel of ze een antenne hebben voor de momenten dat ik naar mijn rust verlang. Als ik een boek pak, springen ze op mijn schoot. Als ik naar de koelkast loop voor een pilsje, willen ze óók iets drinken. Als ik naast mijn vrouw in bed kruip, moet er altijd wel eentje plassen, of een glaasje water, of een uit bed gevallen speen of getroost worden na een nare droom. Heel Nederland baalt op maandagmorgen, maar ik ben blij dat ik naar mijn werk kan. Ik ben aan het eind van het weekend uitgeput van de aandacht die de kinderen nodig hebben, van 's morgens vroeg tot 's avonds laat.'

Roel is geen uitzondering. Bastiaan is een vader van drie kinderen in de leeftijd van anderhalf tot vijf. Hij vertelt dat hij 's avonds regelmatig overwerkt om zijn kinderen te ontlopen. 'Dan bel ik mijn vrouw dat ik verdrink in het werk, pak een pilsje met een collega, speel een paar spelletjes Freecell op mijn computer en ruim mijn bureau een beetje op. Als ik om een uur of acht thuiskom, heeft mijn vrouw in haar eentje met de jongens gegeten en ze in bad en bed gestopt. Als ik de verhitte wangen van mijn vrouw zie, ben ik opgelucht dat die beker aan me is voorbijgegaan. Want voor je mijn zoontjes in bed hebt, hebben ze honderd rondjes door de slaapkamer gerend, gehuild om de shampoo in hun ogen en met hun gekrijs hun kleine zusje wakker gemaakt.'

Bastiaan heeft elke donderdag papadag en vindt dat hij daarmee ruimschoots aan zijn vaderplicht voldoet. 'Die ene dag kom ik wel door. De twee oudsten blijven over op school en gaan daarna naar judo. Meestal weet ik het zo te ritselen dat ze daar door de moeder van een vriendje naartoe worden gebracht. Ik hoef ze alleen maar op te halen. Tegen die tijd komt hun moeder alweer bijna thuis. Ik zorg wel de hele dag voor mijn dochtertje, maar zij doet 's morgens en 's middags nog een slaapje en speelt meestal zoet in de box. Als het mooi weer is, zet ik haar in de buggy en gaan we naar het park om de eendjes te voeren. Niet dat ik dat zo interessant vind – het is gewoon een manier om de tijd door te komen.'

Sla de krant of een opinieblad open en de vette koppen springen je tegemoet. 'Papa wil niet langer zorgen!' 'Waar is papa?' 'Vader zit in een spagaat.' 'Vaders minder belangrijk.' 'De man die 's zondags het vlees snijdt is terug.' De artikelen staan bol van de cijfers. Iets meer dan dertig procent van de vaders brengt op een doordeweekse dag minder dan een half uur met zijn kroost door. Meer dan de helft van de mannen denkt dat vrouwen van nature beter zijn in opvoeding en huishoudelijk werk. Maar liefst 87 procent van de vrouwen gaat minder werken als er kinderen komen. Een kleine 5 procent van de vaders die vanwege kinderen in deeltijd gaat werken, houdt dat vol. De rest gaat al vrij snel weer vrolijk fulltime aan de slag. Maar liefst 90 procent van de mannen blijft een gelijk aantal uren werken of gaat méér werken als ze vader worden. Het merendeel van de mannen besteedt geen minuut meer tijd aan huishouden en zorg na de komst van hun kinderen.

Tijdens de research voor dit artikel valt op dat veel mensen meteen in de verdediging schieten. Iedereen heeft wel een voorbeeld van een primitieve stam in Verweggistan waar vaders wel degelijk voor hun kroost zorgen. Zo schijnen de vaders van de Aka Pygmeeën, een stam die ergens in het Congolese regenwoud leeft, hun baby's twee uur per dag dicht tegen het lichaam te dragen, enthousiast te verschonen (nooit geweten dat ze daar ook luiers gebruiken) en hun kinderen aan hun tepel te laten sabbelen als ze honger hebben. Ook heeft iedereen wel een vage kennis die fulltime huisman is, fanatiek de stofzuiger hanteert en elke ochtend de lunchtrommeltjes en gymtassen vult. Vraag je door, dan blijkt die vage kennis meestal vóór er kinderen kwamen al werkeloos te zijn geweest. Of een weinig succesvolle kunstenaar. Of iemand die het zout in de pap niet verdiende met steeds wisselende baantjes.

Hebben we het echter niet over Pygmeeën of werkloze kunstenaars, maar over doorsnee Nederlandse mannen, dan rest de conclusie dat het merendeel van de vaders het er mooi bij laat zitten als het op zorg en huishouding aankomt, hoeveel campagnes de overheid ertegenaan gooit, hoe politiek correct ze ook praten vóór de baby zich aandient. Want zeg zelf: kennen we niet allemaal een echtgenoot die met de hand op zijn hart heeft beloofd de zorg fiftyfifty te verdelen als er een baby komt en die plotseling duizend en één excuses heeft als het kind daadwerkelijk in de wieg ligt? De een verwacht toevallig net een mooie promotie, de volgende heeft een nieuwe baas die niks van parttime werken wil weten en de derde zit midden in een fusie en is doodsbang zijn baan kwijt te raken als hij ouderschapsverlof opneemt.

Misschien wordt het hoog tijd de waarheid onder ogen te zien: er is gewoon een grote groep mannen die niet blij wordt van snotneuzen vegen, koorts opnemen, zwembroekjes aantrekken, op de wipwap zitten en met hun dochtertje onderhandelen over de keuze tussen een roze of olijfgroene maillot. Die groep meldt zich misschien braaf één keer per week om half zes op de crèche om de kleine Naomi of Willem op te halen, maar van harte gaat het niet. Dat wil helemaal niet zeggen dat die mannen niet van hun Sophietje en Derkje houden; ze vinden zorgen gewoon niet leuker dan met collega's naborrelen.

Een mooi voorbeeld van het verschil tussen man en vrouw vormen Marie en Kees. Marie is een werkende, gescheiden vrouw met twee dochters van tien en twaalf. Als haar ex twee weken op vakantie is met de meiden, geniet ze weliswaar van de vrijheid die ze heeft, maar tegelijkertijd mist ze haar dochters enorm. Ze checkt voortdurend haar mobiele telefoon om geen teken van leven te missen, voelt zich de hele dag een beetje misselijk en kan wel huilen van geluk als de meisjes donkerbruin verbrand heelhuids thuis worden gebracht. Kees, haar ex, heeft daar allemaal geen last van. Als Marie op haar beurt drie weken met hun dochters naar Frankrijk vertrekt, kust hij zijn kinderen hartelijk op de wangen, wenst ze een fijne vakantie toe en rijdt vrolijk weg – de vrijheid tegemoet. Niks mobieltje bij de hand (hoogstens omdat hij een zakelijk telefoontje verwacht), niks vage misselijkheid, niks tranen van geluk als hij ze eindelijk weer ziet. Hij zal het nooit hardop zeggen, maar uit alles blijkt dat hij het wel best vindt. Het is leuk als hij de meiden heeft, het is óók leuk als hij ze weer aan hun moeder over kan dragen.

Barend maakt het echt bont. Hij heeft op verzoek van zijn werkende vrouw elke vrijdag een papadag, gaat trouw mee naar ouderavonden en brengt zijn kinderen drie ochtenden per week naar school. Een paar weken geleden kwam hij verontwaardigd thuis na een zeiltocht met collega Frits. 'Weet je dat Frits niet eens precies weet in welke groep zijn dochter zit? En hij heeft haar nog nooit naar school gebracht.' Toen zijn vrouw vroeg wat de clou van zijn betoog was, kwam het hoge woord eruit: 'Van MIJ verwacht je dat ik net zo betrokken ben als JIJ dat bent.'

Kom nu niet aan met het argument dat Roel, Bastiaan, Kees, Barend en Frits horken van mannen zijn, die niks om hun kinderen geven. Het enige verschil tussen deze vijf mannen en het merendeel van hun soortgenoten is dat zij er schaamteloos voor uit durven komen dat ze zorgen helemaal niet zo leuk vinden als de buitenwereld van hen verwacht. Net zoals er een heleboel moeders zijn die hun kinderen soms helemaal zat zijn, zijn er een heleboel vaders die wel iets leukers kunnen bedenken dan de speeltuin of een pannenkoekenrestaurant. Het enige verschil is dat klagende moeders vooral begrip oogsten, maar dat vaders sinds de tweede feministische golf worden neergesabeld als ze verzuchten dat ze liever naar de kroeg dan naar de crèche gaan.

Nederland wordt sinds vijfentwintig jaar bedolven onder politiek correcte Postbus 51-spotjes, slogans als 'Mannen worden er beter van' en 'Wie doet wat', maar het heeft allemaal niet kunnen verhelpen dat de meeste vaders gek zijn op hun kinderen, maar er liever niet voor zorgen. Al die spotjes en slogans gaan voorbij aan het simpele feit dat vrouwen meestal meer affiniteit met baby's en kinderen hebben dan mannen en het meestal fijn vinden om voor ze te zorgen. Net zo fijn als mannen het vinden een muurtje te metselen, naar een voetbalwedstrijd te kijken of salarisverhoging te krijgen. Een man zonder maatschappelijk succes voelt zich al snel een loser, de meeste vrouwen vinden het daarentegen geen enkel probleem het accent te verleggen naar het gezin en het huishouden. Het mag misschien klinken als vloeken in de kerk, maar feit is dat vaders graag meedenken over de opvoeding van hun kroost en de schoolkeuze en het ook geen probleem vinden langs de lijn van het voetbalveld te staan, maar daar blijft het bij. We kunnen eindeloos zeuren dat het niet eerlijk is en onbegrijpelijk en ouderwets, maar dat helpt het hele emancipatieproces geen meter vooruit. En daarom is het beter pragmatisch te zijn. Niet zeuren, maar het beste ervan maken. Dus van je vent verwachten dat hij af en toe de kinderen van school haalt of zijn eigen overhemd strijkt, maar níét dat hij het *leuk* vindt. Goede afspraken maken en niet sippen als hij zich niet spontaan herinnert dat Marjoleintje dinsdagochtend verkleed als rups op school moet verschijnen. Zolang hij oprecht van zijn kinderen houdt, lief voor ze is en ervoor zorgt dat je niet naar de Voedselbank hoeft, moet je vrolijk je schouders ophalen over zijn onvermogen te onthouden dat Pietertje donderdagmiddag pianoles heeft. Bedenk bovendien dat het misschien ook wel heel gezond is dat je echtgenoot zich niet met dezelfde passie op de kinderen stort als jij dat waarschijnlijk doet.

Stel je eens voor hoe het voor een kind zou zijn om twéé ouders te hebben die zich zorgen maken over luieruitslag, de tafel van drie en de versiering van het schoolkerstfeest. Twee ouders die zich opwinden over groente eten, tandjes poetsen en bedplassen. Twee ouders die meegaan met het schoolreisje, zich verdiepen in groeicurves en cadeautjes kopen voor partijtjes. Je zou het als kind Spaans benauwd krijgen. Dat vaders anders zijn dan moeders heeft dus wel degelijk een functie. Mama knuffelt haar kleuter als hij een gat in de knie valt, papa gooit hem daarna opgewekt in de lucht. Hartstikke nuttig is dat: van mama krijgt een kind potjestraining en broccoli, papa stoomt het klaar voor de maatschappij. En dat hij daarnaast vergeet de badkamer te dweilen, zal geen spotje van Postbus 51 ooit kunnen voorkomen, dus dat moeten we hem maar gewoon vergeven.

MAAR WE HOUDEN NOG WEL VAN JULLIE

Wie beweert dat er tegenwoordig veel te gemakkelijk wordt gescheiden, heeft nooit aan zijn kinderen hoeven vertellen dat papa en mama uit elkaar gaan. **DOOR MARGOT JAMNISEK**

We hebben onze dochters, toen elf en dertien, naar beneden geroepen en op de bank gezet. In hun ogen zag ik dat ze voelden dat dit een beladen moment zou worden. Gesterkt door de wetenschap dat met dit gesprek een einde zou komen aan alle onzekerheid, de dof bonzende hartenpijn gedempt met een stevige Seresta, sprak ik na jaren van twijfel, steeds weer weggeslagen hoop, verdriet, angst en ten slotte berusting, eindelijk de woorden hardop uit: 'Lieverds, we moeten jullie iets vertellen. Papa en mama hebben besloten uit elkaar te gaan. Wij gaan scheiden.' De tranen in de ogen van mijn vroegwijze oudste, die zonder er ooit met me over te hebben gesproken dit al maanden geleden had zien aankomen. De niet-begrijpende blik in die van de jongste, onze dromer die nog zo in haar eigen wereldje leefde. Als een angstig vogeltje dat op het punt staat uit het nest te worden gekieperd. Ik zal ze nooit vergeten.

Wie ooit durft te beweren dat er tegenwoordig veel te gemakkelijk gescheiden wordt, dat mensen hun best niet meer doen om hun huwelijk goed te houden, heeft nooit deze afschuwelijke boodschap hoeven te brengen. Elke goede ouder zou nog liever de linkerhand afhakken dan de kinderen vertellen dat het gezin waarin ze zich zo veilig wanen, tot de verleden tijd behoort. En toch beëindigen in Nederland per jaar bijna driehonderd paren per dag hun relatie. Honderdduizend scheidingen per jaar, waarbij ruim zestigduizend thuiswonende kinderen zijn betrokken.

Veel ouders lukt het niet hun relatie op een harmonieuze manier af te bouwen en om te zetten in een verhouding die het belang van de kinderen vooropstelt. De voorbeelden van ex-partners die elkaar een leven lang kapot proberen te maken, zijn er volop – meestal met de kinderen als inzet en slachtoffers. Het vergt een enorme wilskracht om in het belang van de kinderen contact te houden met je ex. Maar juist vanwege de kinderen zul je zaken moeten doen met de ander, en steeds weer geconfronteerd worden met zijn gedrag of vervelende eigenschappen. Tja, vader en moeder blijf je tot je sterft.

Maar laten we eerst teruggaan naar het moment van de onheilstijding. De deskundigen zijn het er unaniem over eens dat het 't allerbeste is dat beide ouders de moed en het respect voor hun kinderen opbrengen om een rustig moment te kiezen en met elkaar de zo gevreesde woorden uit te spreken. Om vervolgens als twee volwassen mensen de consequenties voor het gezin en de kinderen helder uiteen te zetten.

Niet zoals bij Marie-José en Willem, waarbij zij het hele gesprek voerde en zijn bijdrage zich beperkte tot: 'Tja, jongens, ik sta hier helemaal niet achter, maar mama wil dit nu eenmaal.' Niet zoals bij Maarten en Jeannette, waarbij Maarten na de zoveelste ruzie zijn koffer pakte en in de deuropening schreeuwde: 'Het is voorbij, wij gaan scheiden en ik wil je nooit meer zien.' Niet zoals bij Robert en Anneke, waarbij hij op een dag de telefoon pakte en zijn kinderen meldde dat papa niet meer thuis zou komen omdat hij nu van een andere mevrouw hield.

Alle kinderen hebben de angst hun ouders te verliezen. Die latente verlatingsangst is het grootst bij kinderen tussen de drie en acht. Scheiding is voor een kind de ultieme verlating. Je moet dus zien te voorkomen dat die verlatingsangst een eigen leven gaat leiden. Laat daarom geen ruimte aan de belangrijkste twee vragen waar een kind op het moment van echtscheiding mee worstelt: zie ik papa of mama ooit nog terug? En verdwijnt mijn andere ouder op een dag ook?

Zoals gezegd, in het ideale geval vertellen ouders samen aan hun kinderen dat ze uit elkaar gaan. Met die gezamenlijke boodschap maken ze duidelijk dat ze, ondanks alles, samen ouders blijven. 'Papa en mama willen niet meer in een huis wonen, maar we blijven altijd jullie ouders. Dat verandert nooit.'

Gezinscoach Marjoleyn Vreugdenhil zegt hierover: 'Een kind kan zich op dat moment kind blijven voelen en eventueel vragen stellen of zijn verdriet tonen. Als het de boodschap krijgt van één ouder is daar minder ruimte voor, helemaal als die ouder erg van slag is. Het kind voelt zich dan al snel gedwongen om de volwassene te troosten en zijn eigen verdriet te bagatelliseren.'

Kinderen jonger dan zes denken vaak dat de scheiding hun fout is: als ik maar liever was geweest, was papa vast niet weggegaan. Het is dus belangrijk dat je duidelijk maakt dat het kind geen enkele invloed heeft gehad op de beslissing om te scheiden. Dat het een zaak is tussen papa en mama. Kinderen op deze leeftijd kunnen nog moeilijk onderscheid maken tussen werkelijkheid en hersenschimmen. Ze gaan fantaseren: zal ik opa en oma nu nooit meer zien? Raak ik nu al mijn speelgoed kwijt? Het is belangrijk je bewust te zijn van deze emoties, omdat ze onwillekeurig een rol spelen in bijvoorbeeld de omgangsregeling.

Kleuters kunnen zich enorm verzetten tegen een verhuizing. Voor ouders is het soms een raadsel waar dat verzet vandaan komt. Ze hebben alles gedaan om beide huizen gezellig en vertrouwd te maken, goede afspraken gemaakt over de bezoekregeling en toch willen de kinderen niet meewerken. Vaak worden deze onberedeneerbare angsten veroorzaakt door dat 'magische denken'. Ze willen niet naar hun vader omdat ze bang zijn dat ze mama nooit meer terugzien. Stel kinderen hierin gerust. Leg uit dat jij niet zielig bent en dat je je wel redt. En dat je iets lekkers kookt als ze zondag thuis worden gebracht. Het is ook belangrijk kinderen het gevoel te geven dat jij graag wilt dat ze de andere ouder zien. Kinderen willen als het ware toestemming om van papa én mama te mogen houden.

Kinderen in basisschoolleeftijd kunnen een scheiding beter begrijpen. Vanaf een jaar of zes worden kinderen zich ervan bewust dat de wereld groter is dan het eigen gezin. Ze krijgen hun eigen wereld met vriendjes en hobby's. Zijn voor hun zelfbeeld minder afhankelijk van hun ouders en gaan zich ook spiegelen aan anderen: vriendjes, de leerkracht of de voetbalcoach. Wel blijven ze vaak hardnekkig fantaseren dat hun ouders weer bij elkaar komen of broeden op manieren om ze weer bij elkaar te brengen. Ze verzinnen problemen of crisissituaties om hun ouders met elkaar in contact te brengen. In extreme gevallen ontwikkelen kinderen lichamelijke klachten om hun ouders maar met elkaar in gesprek te brengen. Hoe moeilijk het ook is om de wensen en fantasieën van je kinderen de kop in te drukken, voor hun welzijn is het beter om geen twijfel te laten bestaan over de onherroepelijkheid van de scheiding. Lukt het jullie als exen om gezellig samen dingen te blijven doen met de kinderen, blijf dan toch duidelijk. Het gezamenlijk vieren van een verjaardag of de kerstdagen betekent níét dat jullie weer bij elkaar komen. Kinderen vanaf een jaar of tien kunnen al zo groot en verstandig lijken dat je denkt steun bij ze te kunnen zoeken. Maar hoe wijs een kind ook is, belast het nooit met je volwassen problemen. Doe je dat wel, dan ontneem je het de mogelijkheid kind te zijn en zadel je het op met veel te veel verantwoordelijkheid.

Anneke, anderhalf jaar geleden gescheiden, kan daarover meepraten: 'Op eerste kerstdag waren onze drie kinderen bij mijn ex. Hij had zijn best gedaan er iets gezelligs van te maken, maar rond half zeven kreeg ik een telefoontje van mijn twaalfjarige dochter, die met een bibberstemmetje fluisterde: "Papa is net van tafel opgestaan, de trap op gerend en ligt nu huilend in zijn bed. Wat moeten we doen?"'

Het is vreselijk om je vader of moeder te moeten troosten, opvangen of eindeloos te moeten aanhoren welke vreselijke dingen de ene ouder de andere heeft aangedaan. Pubers hebben baat bij een stabiel thuisfront, waarbij ze zich niet bezig hoeven te houden met de problemen van hun ouders. Een scheiding betekent voor kinderen hoe dan ook het einde van de basisveiligheid van het complete gezin, en het verlies van de dagelijkse aanwezigheid van beide ouders. Wat de impact hiervan is hangt sterk af van de manier waarop de ouders hiermee omgaan. Niet gemakkelijk. Je moet je eigen verdriet verwerken, een nieuw bestaan opbouwen en óók nog een stabiele moeder of vader zijn. Het kan zijn dat je daardoor ongeduldiger of overgevoelig reageert op je kinderen, en zij op hun beurt vervelend, dreinerig of opstandig worden. Zo ontstaat al snel een vicieuze cirkel. Je vindt je kind zielig omdat jullie gescheiden zijn. Je voelt je schuldig omdat je er met je hoofd niet helemaal bij bent. Een puber die met smijtende deuren wegloopt, wordt om die reden soms te gemakkelijk geëxcuseerd. Hetzelfde geldt voor een drammende peuter, dreinende kleuter of mokkende negenjarige. De neiging van ouders om alles wat misgaat toe te schrijven aan de scheiding is begrijpelijk, maar het is belangrijk om je te realiseren dat dit niet goed is voor je kinderen. De scheiding kan en mag geen excuus worden voor hun gedrag, je eigen ongeduld en gebrek aan aandacht, de rotzooi in huis of financiële puinhoop.

Kinderen kunnen redelijk ongeschonden en sterk uit een scheiding komen als hun ouders zich blijven gedragen als redelijke volwassenen. En iedereen die een beetje verantwoordelijkheidsgevoel heeft, in staat is een carrière op te bouwen, een huis te kopen en kinderen op de wereld te zetten, moet ook de kracht op kunnen brengen een gezin op een volwassen manier op te breken.

Voor het evenwichtig opvoeden van kinderen van gescheiden ouders, geldt een aantal basisvoorwaarden. De belangrijkste is wel voortzetting van het contact met beide ouders, tenzij er sprake is van incest, ernstige vormen van geweld of verslaving. Stel je kinderen niet bloot aan ruzies en moedig ze aan contact te hebben met de andere ouder. Voor alle kinderen geldt dat ze baat hebben bij een stabiele omgeving, ook al is die nu verspreid over twee huizen. Zorg dat ze een eigen plek hebben bij papa én mama en dat de dagelijkse gang van zaken zo veel mogelijk hetzelfde blijft. Hoewel er geen vaste richtlijnen zijn voor het vaststellen van een goede omgangsregeling, zijn er wel een paar belangrijke uitgangspunten die daaraan kunnen bijdragen. Blijf in ieder geval zo dicht mogelijk bij elkaar in de buurt wonen. Houd rekening met pianolessen, hockeytrainingen en andere verplichtingen. Besef dat elk kind een eigen karakter heeft en daardoor recht heeft op een persoonlijke aanpak. Een dromertje dat na schooltijd behoefte heeft aan een paar uurtjes rust, moet je niet in een auto vervoeren naar de andere kant van het land omdat papa daar tegenwoordig woont. Ook een belangrijke: hoe ouder je kind is, hoe langer het verblijf bij de andere ouder kan zijn. Hoe jonger, hoe minder tijd er tussen bezoekjes moet zitten. Oudere kinderen hebben behoefte aan inspraak. Ze hebben hun eigen sociale agenda en willen niet dat ouders die in de war schoppen. Het is vragen om moeilijkheden als je ze dwingt tot een voor hen onbevredigende omgangsregeling. Vanaf hun vijftiende willen kinderen soms wonen bij de ouders van de eigen sekse. Vooral jongens hechten aan de band met hun vader. Ontwikkelingpsycholoog

Edward Teyber raadt ouders aan deze wens zo veel mogelijk te honoreren, het welzijn van hun kind voorop te stellen en over hun eigen gekwetste ego heen te stappen. De allerbelangrijkste voorwaarde voor een goede omgangsregeling is dat ouders elkaar de rol als vader en moeder gunnen en het kind niet in tweestrijd brengen. En voor jezelf en je kinderen is het belangrijk dat je jezelf weer een eigen leven gunt. Dat zal niet makkelijk zijn; gemiddeld doen mensen er twee tot drie jaar over om een relatiebreuk te verwerken, maar voor je kinderen is er geen beter voorbeeld dan een vader of moeder die weer plezier heeft in het leven.

STIEF, BACK OFF

Stiefmoeders zijn er om de was te doen, cola in te schenken en chips te verstrekken. Helemaal niets mis mee, zolang ze haar plaats maar kent.
DOOR MARGOT JAMNISEK EN ELS ROZENBROEK

Vrijdagavond half zeven. Je man komt thuis met zijn kinderen, die geroutineerd hun logeertas in het halletje gooien. Hij pakt een biertje, jij schenkt cola en serveert chips en als ze relaxed voor RTL Boulevard zitten, breng je de tassen naar boven. Even checken wat er deze keer is misgegaan. Ja hoor, het voetbalshirt van Joris is weer eens niet gewassen en natuurlijk heeft Wenneke nog steeds geen nieuwe onderbroeken. Je voelt de vertrouwde irritatie groeien: hoe vaak heb je niet tegen hem gezegd dat hij haar moet laten weten dat je geen zin hebt in vieze kleren en te klein ondergoed? Het zijn toch haar kinderen? Wat is er trouwens gebeurd met al die leuke Petit Bateau-setjes die je twee maanden geleden voor je stiefdochter hebt gekocht? Nooit meer gezien. Uit het raam gegooid of ritueel verbrand door de ex? Dat mens krijgt achthonderd euro alimentatie per maand voor de kinderen, maar is te beroerd om te zorgen dat die er een beetje schoon en verzorgd bij lopen. En ondertussen is het natuurlijk weer aan jou om van dit weekend een feest te maken, inclusief de juiste smaak Schuddebuikjes voor op het brood en geitenmelk voor de allergische jongste. Het is om gek van te worden.

Een paar uur later lucht je je hart bij je man. Hij slaapt bijna, jij moppert. Hij zegt: 'Waar wind je je toch zo over op? Het is heel lief dat je zo goed voor ze wil zorgen, maar dat is nergens voor nodig, dat doen hun moeder en ik wel.' Waarna hij je een kus geeft en als een blok in slaap valt.

De man die daar zo vredig ligt te snurken, beseft het niet, maar hij heeft de spijker op de kop geslagen.

Ooit gehoord van een stiefvader die zich opwindt over verdwenen onderbroeken? Vuile sportkleren? Ongeknipte teennagels? Vergeten tandenborstels? Te lange haren? Afgetrapte schoenen? Slecht voorbereide spreekbeurten? Schimmelende broodtrommels? Vieze oren? Welnee, over dit soort trivialiteiten (die nota bene betrekking hebben op de kinderen van een ander) winden louter weekendmoeders zich op. En waarom doen we dat in vredesnaam?

Om het antwoord op die vraag te krijgen, moeten we helaas iets doen waar wij vrouwen niet al te dol op zijn en dat is eerlijk naar onze eigen rol kijken. Het komt hier op neer: wij tweede vrouwen hebben een missie. En die missie bestaat eruit dat onze mannen moeten beseffen dat a) ze een domme fout hebben begaan door een leven te hebben vóór hij ons ontmoette b) het niet zo slim is geweest ooit te trouwen met een ander en c) het ongelooflijk oenig was om met die eerste echtgenote kinderen te krijgen.

Want laten we wel zijn: wij weekendmoeders zijn gewoon heel ordinair in competitie met de ex van onze grote liefde. En nu kunnen we wel denken: wat kan dat mens mij schelen, haar man is nu de mijne, maar zo simpel ligt dat niet. Politiek correct of niet, het is een basaal instinct van vrouwen in het algemeen en stiefmoeders in het bijzonder om te bewijzen dat we mooier, knapper, slimmer, efficiënter, grappiger, slanker, leuker, zorgzamer, smaakvoller, sexyer, stabieler en succesvoller zijn dan welke vrouw in onze buurt ook (en zeker zijn ex).

Dat is helemaal niet erg, dat is gewoon de natuur. In de oertijd hadden we er baat bij dat onze echtgenoot er niet met de holbewoonster van de overkant vandoor zou gaan, ons met huilende nazaten achterlatend bij een stervend vuurtje en overgeleverd aan de wilde beesten. Jaloezie – en de daarbij horende competitiedrang – is niets anders dan een gezonde manier van overleven (daarom wordt het ook nooit wat met vrouwen in topposities, maar dit terzijde).

Laten we ons even verplaatsen naar een andere dag van een doorsnee stiefgezin. De woensdag bijvoorbeeld, ook zo'n dag dat papa de kinderen heeft. Om te beginnen is die hele papa niet thuis. En stiefmoeder, die zoals zo veel hoogopgeleide vrouwen slechts drie of vier dagen werkt – heeft daarom de woensdagmiddag vrijgeroosterd voor zijn bloedjes. De een moet naar ballet (niet vergeten: maillot en haarbandje), het andere kind moet naar rekenbijles (niet vergeten: schriftje, etui, brilletje en scherpgepunte potloden. O ja, gum). Stief rent heen en weer, schiet snel de Albert Heijn in voor een voedzame doch smakelijke maaltijd en rent langs de stomerij om het donkere pak van haar man op te halen dat hij vrijdag wil dragen bij een presentatie voor de board.

Als papa die avond om half zeven thuiskomt, treft hij zijn huidige liefde aan achter de piano met naast haar zijn oudste dochter die *Für Elise* maar niet onder de knie wil krijgen. Hij lacht vertederd, schenkt zichzelf een whisky in en vraagt opgewekt: 'Wat eten we vanavond, schat?' Dat zijn schat hem een vermoeide blik toewerpt, ontgaat hem totaal. Natuurlijk is die vermoeide blik begrijpelijk. Zij heeft weer eens een hele middag besteed aan de onzichtbare competitie waarin ze is verwikkeld. Onzichtbaar, omdat niemand dit weet, dit ziet, laat staan erom heeft gevraagd. Want waarom heeft zij al die taken op zich genomen, terwijl het toch echt zijn kinderen zijn? Simpel. Omdat zij weet dat als zij *Für Elise* niet oefent, het kind weer niet mee zal mogen doen met de jaarlijkse uitvoering van de muziekschool. Omdat ze hem wil bewijzen dat zij een liefdevolle, zorgzame moeder kan zijn. Omdat ze de kinderen wil laten voelen dat ze in ze gelooft. Omdat ze zijn ex een lesje wil geven in zorgzaam moederschap en opvoedkunde. En last but not least: omdat ze natuurlijk gewoon in de aloude valkuil is getrapt: wij vrouwen moeten alles doen, anders wordt het een zootje.

Terug naar nog zo'n doorsnee stiefgezin. Eentje dat net is getroffen door een ramp (kind aangereden en vier voortanden kwijt, dochter van school gestuurd, zoon opgepakt vanwege het afsteken van illegaal vuurwerk). Opeens blijkt dat de weekendmoeder, die altijd heeft gehamerd op het ook op zondag dragen van de buitenboordbeugel, al jaren zorgdraagt voor het tot een goed einde brengen van werkstukken over konijnen en honderd keer: 'Doe je voorzichtig!' heeft geroepen, er helemaal niet meer aan te pas komt als er echt problemen zijn met de kinderen. Als het erop aankomt, is dat een zaak van de ouders en sta je als stiefmoeder aan de zijlijn. Het komt in niemands hoofd op je erbij te vragen bij de eerste hulp, het schoolgesprek en op het politiebureau. Je blijkt ineens een buitenstaander te zijn. Sterker nog: in zulke crisissituaties is er niemand die één gedachte aan je wijdt. Stiefmoeders zijn er om huizen gezellig te maken, opblaasbadjes te vullen, de was te doen en koekjes te verstrekken, niet om de kinderen bij te staan als ze zeventien hechtingen krijgen of van school worden gestuurd. Dan vormen de echte ouders ineens een gesloten front waar je als weekendmoeder onmogelijk doorheen kunt breken.

Zo'n crisis is eigenlijk een mooi moment om stil te staan bij de realiteit. Zou er een vacaturebank zijn voor stiefouders, dan zou de functie als volgt omschreven worden: 'Gezocht: sexy levenspartner met een groot hart die vrije dagen het liefst doorbrengt met het heen en weer rijden van andermans kinderen naar clubjes en partijtjes. Die graag in overvolle pretparken verblijft, gewapend met spuugzakjes voor eventuele calamiteiten. Iemand die zonder morren de rommel van anderen opruimt, brutale monden accepteert en houdt van lange autoritten met jengelende kinderen. Die dol is op lawaaierige gezinscampings met kinderanimatie. Iemand die beseft dat de loyaliteit van de partner in de eerste plaats bij ex en kinderen ligt. Salaris: inclusief bonussen en vakantiegeld, nul euro per maand. Werktijden: zeer flexibel, weinig tot geen inspraak.'

Laten we wel zijn: geen man die op zo'n advertentie zou reageren, maar evengoed zijn er elk jaar duizenden vrouwen die zich op het stiefmoederschap storten. Omdat we denken de liefde van ons leven te hebben gevonden en zeker weten dat ons hart groot genoeg is voor zijn kinderen. Geen moment realiseren we ons dat we beginnen aan de moeilijkste baan van de wereld. Want van een weekendmoeder wordt net zo veel opofferingsgezindheid verwacht als van een echte moeder, maar daar staat verdomd weinig tegenover. Als het meezit vinden de kinderen je een tof wijf, een kekke tante, een lief mens, maar als het erop aankomt ben je niets meer dan een *ship that passes in the night*. Als het uit is met hun vader is het ook uit met de kinderen, alle lekkere maaltijden die je voor ze hebt gekookt ten spijt.

En dat brengt ons als vanzelf naar de moraal van dit verhaal. Met een stiefmoeder is niets mis, zolang ze haar plaats maar kent. En dat is die van een tweedehandsje. Zelfs als de kinderen al lang en breed volwassen zijn, trouwen en zichzelf voortplanten, dan willen ze op de bruiloft en aan het kraambed hun ouders zien. Zo is de natuur: intieme momenten wil je delen met je vader en je moeder. Wij weekendmoeders zijn natuurlijk van harte welkom (zeker als je zo lief bent een peperduur cadeau mee te nemen), maar het hoeft niet. Klinkt hard, het is het laatste wat we willen horen, maar als we dit gegeven goed tot ons laten doordringen, weten we dat die man aan het begin van dit verhaal hartstikke gelijk heeft: 'Het is heel lief dat je zo goed voor ze wil zorgen, maar dat is nergens voor nodig, dat doen hun moeder en ik wel.' Zo is het maar net. Je hoeft je dus helemaal niet verantwoordelijk te voelen voor schone kleren en schoolprestaties. Laat staan voor buitenboordbeugels en illegale gillende keukenmeiden. Daar hebben de kinderen ouders voor en als die hun taak verzaken, is dat toch echt hun probleem.

En geef toe: elk nadeel heb z'n voordeel. Eenmaal wijs geworden kunnen we hem vrolijk uitzwaaien als hij voor de zoveelste keer met zijn nakomelingen naar een pretpark afreist. Hem zelf naar de supermarkt laten rijden om Schuddebuikjes voor zijn hartelapjes aan te schaffen. Voortaan werken we op woensdagmiddag lekker door. En als we dan thuiskomen is het aan ons om te vragen: 'Schat, wat eten we vanavond?'

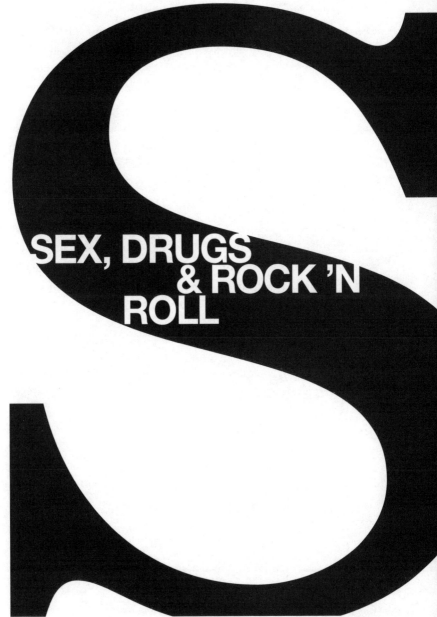

SEX, DRUGS & ROCK 'N ROLL

1 SCHUREN OP RED BULL **2** WIET IS SHIT
3 JA, JE PUBER KIJKT PORNO

SCHUREN OP RED BULL

We denken dat we onze tieners veilig kunnen achterlaten op een Frisfeest, waar drank en drugs streng verboden zijn. Een meisje van dertien: 'Ik ben gevingerd door een jongen op de dansvloer. Het was zo druk, dat zag toch niemand.' **DOOR RENÉE LAMBOO**

Er staat een enorme kudde voor de ingang van de hippe club. Zeker vierhonderd pubers vormen een lange rij. Vanavond wordt er een Frisfeest met de beste deejays van het land georganiseerd. Wie jonger is dan twaalf of ouder dan vijftien, komt niet binnen. Bij twijfel wordt om legitimatie gevraagd. Toegangskaarten zijn al weken uitverkocht. Bijna ieder Frisfeest dat in ons land wordt gegeven is een groot succes. Tickets gaan twee keer over de kop op Marktplaats.

De meeste kinderen komen zelf naar de discotheek. De paar vaders en moeders die hun kind afzetten voor de deur, houden beschermend hun hand vast tot ze naar binnen kunnen. 'Let op dat niemand wat in je cola gooit', zegt een bezorgde vader tegen zijn dochter. 'Jahaa.' Het meisje rolt met haar ogen. Haar vriendinnetjes lachen.

Eenmaal binnen doet ze haar jas uit. Ze draagt een met glitters bestrooid, roze hemdje. Met haar handen wrijft ze over haar bovenarmen. Ze trekt haar truitje recht en loopt hand in hand met twee vriendinnen de grote zaal in. Voorin staat een verhoogde dansvloer, in de vorm van een kooi met grote spijlen. Achterin is het podium waar DJ Chuckie draait. Volgens twee meiden aan de bar is hij onwijs sexy. Links een vrij leeg zitgedeelte. De meeste kinderen bevinden zich op de dansvloer, al wordt er nog niet veel gedanst. Veel jongens staan afwachtend om zich heen te kijken met een glas Red Bull in de hand, terwijl de meiden met elkaar praten. Ze doen alles in groepjes: naar de wc, rondlopen, iets te drinken halen. En als ze onverwacht een vriendinnetje tegenkomen, beginnen ze uitzinnig te gillen en in hun handen te klappen.

Er zijn Nederlandse, Marokkaanse, Turkse en Surinaamse meisjes, maar ze hebben allemaal dezelfde kledingsmaak. Bijna iedereen draagt gympen. Een enkel meisje loopt op hakken. Ze wankelt geregeld, houdt zich vast aan de muur en aan vriendinnetjes. Veel meisjes dragen zwarte shirts met Date Me erop. Onder de tekst tien lege vakjes, waarin ze zelf hun mobiele telefoonnummer hebben geschreven.

De meeste meisjes hebben nog echte kinderfiguurtjes. Amper borsten, nauwelijks een kont. Degenen die al wat rijkelijker zijn bedeeld, krijgen volop aandacht van de jongens. Ze worden nagekeken en er wordt in hun billen geknepen. Sommige jongens durven zelfs al een meisje te versieren, of proberen dat in ieder geval. Een iets te dik jongetje stapt op twee meisjes af die samen een Red Bull delen.

'Hoe heten jullie?'

In koor: 'Geen interesse.'

Schijnbaar onaangedaan loopt de jongen weg. Zijn vriend in het kielzog. De meiden giechelen: 'Lelijke, dikke kabouter. Daar moeten we niks van hebben. Hij kwam alleen maar naar me toe omdat ik met mijn kont schudde. Niet leuk.' Maar schudt ze dan niet met die billen om jongens aan te trekken? 'Ik vind het gewoon leuk om te doen, als daardoor knappe jongens naar me toe komen, is dat een bonus.'

Op de eerste verdieping is een R&B-zaal en een balkon, waar je uitkijkt over de feestende massa beneden. Er zitten twee veertienjarige jongens. Ze zeggen niets tegen elkaar. 'We zoeken leuke meisjes. Wij willen ook zoenen.' Hij wijst naar de zaal waar tientallen setjes elkaar gevonden lijken te hebben. Ze staan heftig zoenend op de dansvloer. De meisjes laten hun handen netjes samenkomen op de ruggen van hun partner. De meeste jongens leggen die van hun op de meisjesbillen. Als dat wordt toegelaten, zoeken hun handen verder. 'Je moet zelf initiatief nemen', zegt een van de jongens. 'Meestal vraag ik hoe ze heten, waar ze vandaan komen. Maar dat hoeft niet altijd. Als je op de dansvloer een meisje ziet, kun je dat ook overslaan. Je kunt ook gewoon meteen achter haar gaan staan en beginnen te schuren.' Hij wijst naar twee pubers op de dansvloer. Hij staat achter haar en duwt zijn kruis tegen haar billen aan terwijl ze bewegen op de maat. 'Zo. Weet je wel. Dan kun je een beetje aan haar kont zitten, en aan haar borsten, als je geluk hebt. We hebben ook weleens verhalen gehoord over sex op de wc. Na een feest staan er soms berichtjes over op de Fris-website, waarin ze zeggen dat het er lekker was.'

Officieel moeten de meiden boven naar het toilet, en de jongens beneden. Maar de toiletdame, die vijftig cent per bezoekje vraagt, doet daar niet zo moeilijk over: 'Ik begrijp dat ze geen zin hebben helemaal naar boven te lopen.' Van de verhalen over sex op het toilet heeft ze nog nooit gehoord: 'Nou, niet waar ik bij ben in ieder geval.' Een veertienjarig meisje: 'Een vriendin van ons heeft vorige keer iemand gepijpt op de wc. En ik ben weleens gevingerd door een jongen. Dat was gewoon op de dansvloer. Het was zo druk, dat zag toch niemand. Die jongen heb ik daarna eigenlijk nooit meer gezien, dat vond ik jammer. Want ik vond hem best leuk en het was de eerste keer dat iemand dat bij me deed. Al was het niet eens zo lekker.' Ze had ook even getwijfeld toen hij zijn hand in haar broek stak: 'Ik schrok ervan en dacht: wil ik dit wel? Maar hij was de hele avond al heel lief, dus oké.' Ze leerde de jongen op het vorige feest kennen, toen zij stond te dansen en hij tegen haar aan kwam schuren. Op de dansvloer steken meisjes hun billen uit als lokaas, en kijken ze wie er toehapt. Vinden ze hem wat, dan wordt er geschuurd en misschien wel gezoend of meer. Vinden ze hem niks, dan dansen ze onopvallend, maar heel duidelijk, ergens anders naartoe. Jongens vallen voor mooie billen. 'Als een meisje zo'n platte kont heeft, hoef ik haar niet', aldus een vijftienjarige. 'Ze moet bolle, ronde billen hebben, net zoals J.Lo. Dat als je ertegenaan schuurt, je ook wat voelt. Als ik niks voel, heeft met haar dansen ook weinig zin.'

In de R&B-zaal klinkt muziek van K-Liber:

We gaan standaard chillen
Chickies willen standaard trillen
Je pompt die beats tot die billen willen trillen
De energie is zo, je kan die vibe niet killen
Gooi die handen in de lucht, dan gaan laag

Raak je tenen aan, doe je dans
De vetste hype en de vibe is live
Kom op, spring op

Een meisje houdt haar bovenlichaam horizontaal en steekt haar kont achteruit, terwijl een jongen daar met zijn kruis tegenaan stoot. Zijn handen legt hij daarbij allebei op zijn achterhoofd. Om hen heen staan mensen toe te kijken. Ze tikken elkaar aan en wijzen. Minutenlang zijn de twee samen bezig. Tot zijn vriend het opeens overneemt. Ze kijkt even om, maar gaat dan verder met waar ze mee bezig was. 'Echt hoeren!' Twee meisjes van dertien staan vanaf het balkon naar haar te kijken. 'Als je makkelijk bent, kun je hier alles doen wat je maar wilt. Sex, pijpen, vingeren.' Haar vriendin knikt: 'Jongens zullen altijd vragen of je wilt, of ze proberen het gewoon, dan moet jij maar sterk genoeg zijn om nee te zeggen. Echt niet dat je anders nog wat van ze hoort.'

Er komt een knappe jongen op de twee afgelopen. Ze giechelen. Hij slaat een arm om de heupen van een van hen en draait haar om. Haar achterwerk tegen zijn kruis. Zij duwt haar kont een beetje naar achter, heen en weer bewegend op de beat van DJ Chuckie. Tijdens het dansen slaat hij af en toe op haar billen en lacht. Haar vriendin gaat wat ongemakkelijk tegenover haar staan. Ze danst maar wat met de twee mee. Na een paar minuten heeft hij haar overal aangeraakt. Dan trekt hij zijn handen van haar af en loopt weg. Het meisje kijkt verbaasd om en ziet hem weglopen. Haar vriendin slaat meteen haar armen om haar heen en aait troostend over haar haren. Al snel dansen ze samen verder.

Tussen de schurende stelletjes loopt een groepje twaalfjarigen rond. De jongens niet langer dan 1.40 meter, de meisjes nog zonder heupen of borsten. Ze spelen dwars door de zaal tikkertje, tot irritatie van de meer ontwikkelde feestgangers. Die geven de kleintjes een duw en snauwen: 'Oprotten!' Een van de medewerkers van de club kijkt toe. Hij staat in de hoek van de zaal, op het podium. Vanaf daar heeft hij goed overzicht over de hele zaal. De kinderen trekken zich weinig van hem aan. Met zijn zwarte T-shirt valt hij ook amper op. Heel even glijden zijn ogen over de billen van twee veertienjarige meisjes aan de bar. Ze hebben minuscule hotpants aan. Ze zijn zich ervan bewust dat ze opvallen in die broekjes.

'We vinden het wel leuk dat alle jongens kijken. Maar we doen er verder niks mee.'

'Ja, we dansen weleens met jongens. Dan vragen ze ook weleens of we meegaan naar de wc, maar dan zeggen we allebei altijd nee. Vaak zijn ze beledigd als je ze afwijst, maar dat maakt ons niet zo veel uit.'

'Ik denk dat als we ja zouden zeggen, ze niet eens zouden weten wat ze moesten doen.'

Daar zijn drie jongens, allemaal rond de vijftien, het niet mee eens. Ze hebben al zo vaak meisjes meegenomen naar de wc. Veel moeite hebben ze er niet voor hoeven doen: 'Je merkt meteen welke meiden daarvoor in zijn en welke niet. En als ze niet willen, gaan we ook niet meer met ze dansen of zo. Door het schuren krijg je toch wel zin, tenminste als ze het goed doet. Dus als dat dan nergens toe leidt, hoeft het van mij niet.'

De dag na het feest hebben al tientallen bezoekers een berichtje, oftewel een Frisbee, achtergelaten op www.wijzijnfris.nl.

'Het was kanker dope.'

'Het was hard, man.'

'Het was sexyyy!!'

Michelle, dertien jaar, is op zoek naar een jongen met wie ze heeft geschuurd en gezoend. Ze heeft het telefoonnummer gebeld dat hij haar had gegeven, maar hij neemt niet op. Als hij dit leest, of hij dan alsjeblieft contact op wil nemen.

Ze is niet de enige die gisteren sjans heeft gehad. Op Hyves opent ene Samantha een item over wat er gebeurt op een Frisfeest. 'Zet een kruisje als je dat doet op Fris', roept ze op. 'Zoenen, Flirten, Dansen, Schuren, Drinken, Gewoon helemaal losgaan, Drankjes drinken, Ik draai alleen maar met mijn *ass*, Jongens/Meisjes versieren.'

Vier pagina's met reacties volgen. Tientallen kinderen reageren. Bijna allemaal kruisen ze alle hokjes aan. Dertienjarige Anouska vertelt trots 'dood veel geschuurd' te zijn. Misschien wel door een veertienjarige jongen die zijn e-mailadres achterlaat op de site. En de boodschap: 'Kunnen de meisjes waar ik mee heb geschuurd, zich melden? Ik ben die jongen met dat roze truitje.'

143

WIET
IS
SHIT

Iedereen heeft het over comazuipers, maar over de gevaren van wiet hoor je niemand. Met dank aan ons liberale drugsbeleid en lankmoedige ouders die denken dat een blowtje op zijn tijd bij de puberteit hoort.

DOOR ELS ROZENBROEK

De twintigjarige zoon van Laura is een schatje. Donker haar, prachtige bruine ogen, een mooi lijf en een lekkere babbel. Je zou hem je laatste kwartje geven, maar dat raadt zijn moeder je ernstig af. Zoontje Floris is namelijk aan de drugs. Als veertienjarige nam hij zijn eerste blowtje, inmiddels gebruikt hij van alles door elkaar. Wiet, xtc en coke. Van drie gymnasium ging hij naar vier havo, het eindexamen heeft hij nooit gehaald. Als hij eens een baantje heeft, is het wachten tot-ie wordt ontslagen. Onze lieve Floris heeft namelijk last van een vervelend bijverschijnsel van al dat drugsgebruik en dat is een hardnekkige geldnood. Een van de symptomen van die aandoening is stelen. Uit de kassa van de baas, de portemonnee van zijn moeder en als het even kan onderzoekt hij ook de tassen van haar vriendinnen, zussen en buurvrouwen.

Floris is niet de enige van zijn ooit zo veelbelovende vriendengroepje, die het flink heeft verkloot. Zijn beste vriend Willem is tegenwoordig pizzakoerier. Het jongetje dat zich nog niet zo lang geleden in Homerus verdiepte, brengt het grootste deel van zijn bestaan door in zijn kamer, waar hij lamlendig jointjes draait en een beetje voor zich uit staart. En die leuke Maaike, ooit keepster van haar hockeyteam, is kortgeleden opgenomen in een afkickkliniek. Toen ze haar moeder met een mes bedreigde omdat die weigerde dochterlief haar creditcard af te geven, heeft haar veertienjarige broer in paniek de politie gebeld. Op het politiebureau werd een psychiater ingeschakeld, die een acute psychose constateerde. Dat krijg je ervan als je 'alleen in het weekend' een combinatie van alcohol, wiet en coke gebruikt, maar dat datzelfde weekend wel van donderdagavond tot dinsdagochtend laat duren.

Vijftien procent van de Nederlandse jongeren heeft een ernstig drugsprobleem. Met dank aan het liberale drugsbeleid waardoor we in elke stad talloze coffeeshops aantreffen, er op elk schoolplein dealertjes rondlopen en het op houseparty's en andere jongerenfeesten makkelijker is een xtc-pilletje te bemachtigen dan een glaasje cola. Als je in Rotterdam alle coffeeshops zou sluiten die binnen een straal van tweehonderd meter van een basis- of middelbare school staan, houd je er van de 62 precies twee over. Vraag je ouders, leraren en hulpverleners wat ze daarvan vinden, dan halen negen van de tien aangesprokenen de schouders op. 'Ach, wat kun je eraan doen. Het enige is goede voorlichting geven, jongeren vertellen over de eventuele bijwerkingen en erop vertrouwen dat het goed gaat. Als een kind het verkeerde pad op wil, houd je het echt niet tegen.' Je zou zo'n reactie kunnen vergelijken met die van een moeder die haar driejarige peuter met de step de snelweg op stuurt nadat ze het kind ernstig heeft gewezen op het voorbijrazende verkeer. Zo'n moeder stuur je de kinderbescherming op haar dak, maar dat ouders en leraren van pubers hetzelfde doen, vinden we heel gewoon. Je kind vertrouwen wat drugs betreft, is net zo effectief als de invoering van de studieklas. De voorstanders daarvan vertrouwden erop dat pubers heel goed zelfstandig kunnen werken en zich spontaan verdiepen in het China van Mao of de stelling van Pythagoras. Inmiddels komt men daar in onderwijsland schielijk op terug, omdat veel pubers ongeleide projectielen zijn, die teleurstellend weinig geneigd zijn aan zelfstudie te doen. Diezelfde pubers laten we echter vol vertrouwen los in een land waar coffeeshops, hennepwinkels en smartshops welig tieren. Neem je echter de moeite je langer dan één seconde in de psychologie van een jongere tussen de twaalf en twintig te verdiepen, dan kom je al snel tot de conclusie dat het een groep betreft die extreem ontvankelijk is voor groepsdruk, graag stoer doet, grenzen verkent, nieuwsgierig is en altijd op zoek naar nieuwe impulsen. Giet hierover een stevige saus hormonen en voilà... voor je staat een stel kinderen aan wie je niet graag de regering overdraagt. Geeft niks, ze kunnen er niks aan doen, maar dat betekent wel dat volwassenen de plicht hebben jongeren te beschermen tegen de stortvloed aan verleidingen waaraan ze bloot worden gesteld.

Er zijn verrassend weinig ouders die serieus stilstaan bij de gevolgen van drugsgebruik. Ze halen liever lacherig herinneringen op aan de eerste keer dat ze zelf drugs gebruikten, maar realiseren zich daarbij niet dat een doorsnee joint anno nu vijf keer zo krachtig is als een stickie van twintig jaar geleden. Het klassieke onderscheid tussen harddrugs en softdrugs is allang achterhaald. Je kunt hoogstens spreken over hardgebruikers en softgebruikers. Een onschuldig blowtje is niet meer of minder dan de toegangspoort tot een wereld waarin verslaving op de loer ligt. Inmiddels weten we dat het even moeilijk afkicken is van een geestelijke verslaving als van een lichamelijke.

Het zal wel loslopen, denken de meeste mensen. Bij het grootste deel van de jeugd loopt het niet zo'n vaart. Die experimenteren een beetje en gaan daarna over op het echte leven. Klopt, maar dat geldt niet voor de vijftien procent van de Nederlandse jongeren die niet zonder het dagelijkse blowtje, snuifje, pilletje kan. Wiet, xtc en cocaïne zijn namelijk wel degelijk verslavend. Het regelmatige gebruik van drugs leidt tot ernstig geheugenverlies, schade aan de nog niet volgroeide hersenen, een vertekende waarneming, gebrek aan concentratie, verminderd vermogen om problemen op te lossen en een afname van de motivatie om iets te ondernemen. In gewoon Nederlands: jongeren die liever in bed liggen dan iets van hun leven maken. Die niet geneigd zijn de handen uit de mouwen te steken, te studeren, een succes van hun leven te maken. En dat allemaal omdat wij in Nederland liever de ogen sluiten dan krachtdadig op te treden.

Nog zo'n argument van de schouderophalers onder de volwassenen: 'Wat moeten we dan? We willen in ons land toch geen Amerikaanse toestanden?' Maar waarom niet? Wat is daar eigenlijk op tegen? Feit is dat in Nederland het drugsgebruik onder jongeren stijgt, terwijl het in de Verenigde Staten sinds de jaren zeventig bijna is gehalveerd. Met andere woorden: de Amerikaanse *war on drugs* blijkt in de praktijk heel wat effectiever dan het gedoogbeleid waaraan wij onze kinderen blootstellen. In ons land vinden we het heel gewoon dat er wordt gedeald op het schoolplein en jongerenfeesten, in de VS rukt het arrestatieteam uit. In ons land wordt op houseparty's gecontroleerd of de daar verkochte xtc wel van goede kwaliteit is, in de States wordt via scholen en de media non-stop gehamerd op de gevaren. Word je in Amerika opgepakt omdat je stoned achter het stuur of in de klas zit, dan wordt niet beleefd geïnformeerd of je misschien een hulpvraag hebt, maar krijg je een gedwongen behandeling in een kliniek. Niks fluwelen handschoentjes en vriendelijk gepraat over de voor- en nadelen van drugsgebruik. Drugs zijn een absolute no no en wil je ze toch gebruiken dan zul je daarvoor worden gestraft.

Het is bekend dat overmatig drugsgebruik hand in hand gaat met alcoholmisbruik. Onder invloed van wiet, xtc en coke verwateren grenzen en smaken bier en wodka maar al te lekker. En andersom. Ook alcohol is een harddrug – met dit verschil dat je het overal kunt kopen en het algemeen getolereerd wordt. Alcohol heeft net als de meeste andere drugs een zogenaamde psychotrope werking. Dat betekent dat het middel invloed heeft op de psyche van de gebruiker en zeer verslavend is – zowel geestelijk als lichamelijk. Bovendien is het in combinatie met drugs extra riskant. De ene drug versterkt het dronken gevoel, andere drugs zorgen ervoor dat je je niet dronken voelt, waardoor je nog meer gaat drinken. De combinatie zorgt voor een nog hogere kans op psychoses en agressief gedrag.

Inmiddels wordt er op scholen en in de media flink veel aandacht besteed aan de invloed van alcohol op de hersenen van jongeren. Overmatig alcoholgebruik kan tot directe beschadiging leiden, maar ook de groei van de hersenen belemmeren. Datzelfde geldt voor drugsmisbruik, maar daarover wordt nauwelijks gepraat. Toch zijn de effecten van bijvoorbeeld xtc wereldwijd wetenschappelijk onderzocht en de conclusies liegen er niet om. Zo veroorzaakt de drug depressiviteit, concentratieverlies en kan het onherstelbare schade aan de hersenen, de nieren en de lever toebrengen. En dan hebben we het niet eens over de foute pillen waarin bijvoorbeeld rattengif is verwerkt. En de paar xtc-doden die jaarlijks onder jongeren vallen.

Ook de risico's van wietgebruik zijn niet mis. Cannabis kan psychiatrische problemen veroorzaken, onvruchtbaarheid en depressie. Het kan je reactievermogen, concentratie en kortetermijngeheugen aantasten.

Sinds een jaar of vijftien is het heel gewoon geworden dat er in Nederland stille tochten worden gehouden nadat een onschuldig iemand op straat is neergestoken of er een familiedrama heeft plaatsgevonden waarbij doden zijn gevallen. Hoe eerbiedig iedereen er bij die marsen ook bijloopt, bijna niemand die zich hardop durft af te vragen of er misschien een relatie is tussen ons liberale drugsbeleid en zinloos geweld. Toch blijkt die er wel degelijk te zijn. Op de website www.huiselijkgeweld.nl wordt Janhuib Blans geciteerd, het hoofd preventie van de Jellinek: 'Ik ben er een groot voorstander van om de relatie tussen drugs- en alcoholgebruik en huiselijk geweld boven tafel te krijgen. Het verbaast me hoe weinig aandacht hier in beleidsstukken voor is.' Op dezelfde site zegt Anne Marie van Leent van de politie Haarlem: 'Vanuit mijn werk zie ik dat alcohol en drugs vaak een rol spelen bij huiselijk geweld. Alcohol is meestal van invloed op het escaleren van een situatie. Terwijl drugsgebruik er vaak toe leidt dat jongeren hun ouders manipuleren of onder druk zetten om aan geld te komen. Ik heb een tijdlang bijgehouden hoe vaak er in onze mutaties melding wordt gemaakt van bovenmatig alcohol- of drugsgebruik. Dat was in twaalf procent het geval. Die cijfers vormen een absolute ondergrens, want de politie is niet verplicht om dit te registeren. Ik denk dat het goed zou zijn als dat wel zou gebeuren.'

Wijze woorden. Hoog tijd dat we het liberale drugsbeleid op de politieke agenda zetten. Campagnes gaan voeren die tot doel hebben ouders wakker te schudden. En het voorbeeld van Rotterdam volgen, waar burgemeester Opstelten heeft besloten 27 coffeeshops te sluiten omdat ze te dicht bij middelbare scholen zijn gevestigd. Opstelten: 'Blowen heeft duidelijk schadelijke effecten op schoolprestaties en op de hersenen. Het zit me dwars dat het steeds normaler wordt gevonden. Blowen is niet normaal. Natuurlijk zullen er jongeren zijn die evengoed hun weg naar een coffeeshop vinden, ook na deze maatregel, maar we maken het ze minder gemakkelijk. Bovendien, er gaat een signaal vanuit.'

Pubers verdienen het beschermd te worden en dat doen we niet door de gevaren van drugsgebruik lacherig weg te wuiven. Natuurlijk, drugs zullen nooit van de aardbol verdwijnen. Maar besluiten dat het gevecht bij voorbaat is verloren, gaat veel te ver. Daarom is het goed om thuis de ogen en oren goed open te houden. Want drugsgebruik bij jongeren is moeilijk te herkennen – zeker voor ouders die er zelf geen ervaring mee hebben en ervan uitgaan dat hun slimme, verstandige veertienjarige te vertrouwen is. Dat is het eerste misverstand: hoe onschuldig je zoon of dochter ook uit de ogen kijkt, als het kind drugs gebruikt ben jij de laatste die erachter komt. Daarom is het wel zo slim alert te blijven. Om te beginnen zal een kind dat drugs gebruikt vreemd gedrag gaan vertonen. De kamer uitlopen als zijn mobieltje gaat, liegen en geheimzinnig doen. Het krijgt een wit gezichtje, is vermoeid en slaperig. Komt afspraken niet na. Het laat hobby's vallen en lijkt niet langer geïnteresseerd in de wereld om hem heen. Ook ongewone humeurigheid en agressief gedrag zijn een teken aan de wand. En er verdwijnt opeens geld uit je portemonnee of uit die van broertjes en zusjes. Denk niet te snel: ach, het hoort bij de puberteit. In een wereld waar je op elke hoek van de straat drugs kunt krijgen, is het zaak vooral niet naïef te zijn.

Natuurlijk is het aan te raden om met je kind in gesprek te blijven. Lees de opvoedingsboekjes er maar op na: luister naar je kind, geef het vertrouwen. Wijze woorden, maar probeer maar eens in dialoog te blijven met een zestienjarige die je koeltjes aankijkt, onverschillig zijn schouders ophaalt, een snauw uitdeelt en de kamer uit loopt.

Er is gelukkig een uitweg: uit onderzoek blijkt dat kinderen van ouders die drugs en alcohol ronduit verbieden, minder geneigd zijn over de streep te gaan dan kinderen van ouders die beweren dat 'een blowtje of glaasje op zijn tijd geen kwaad kan'. Hoe ingewikkeld de meeste ouders het ook vinden om keihard iets te verbieden, de nieuwste wetenschappelijke inzichten tonen juist aan dat praten over drugs en alcohol alleen effectief is als het gepaard gaat met het stellen van duidelijke regels en de handhaving hiervan. Dus niet: 'Als je eens een blowtje neemt, wil ik graag dat je er eerlijk met me over praat.' Maar: 'Ik verbied je te drinken en drugs te gebruiken. Dat is ongezond, het is gevaarlijk en je bent nog veel te jong. Als ik merk dat je het doet, zal ik strenge maatregelen treffen.' Klinkt misschien een stuk ongezelliger, maar het is reuze effectief. Een puber heeft duidelijke grenzen nodig, vráágt daar onbewust ook om. Een lankmoedige houding maakt meer kapot dan je lief is.

JA, JE PUBER KIJKT PORNO

Alle pubers kijken porno. Films waarin nepborsten, strakgetrokken vagina's en anale sex heel gewoon zijn. 'Als ik er met mijn dochter over wil praten, steekt ze haar vingers in haar oren en zingt van lalalalala.'

DOOR MARLEEN JANSSEN

Bastiaan (10) wilde een werkstuk maken over het Paard van Troje. 'Leuk,' zei zijn moeder Nicolien, 'ga eerst maar eens googlen. Op Wikipedia vind je vast informatie en plaatjes.' Zo gezegd, zo gedaan. Na Bastiaans zoektocht bleek de huiscomputer vol te zitten met porno. Bij elke poging de pc te schonen rolden de lichaamsdelen over het scherm. Elke link leek besmet, zelfs die van de Hema, de receptenwijzer en Teletekst. Nicolien begreep er niets van. Pas na drie weken durfde Bastiaan te vertellen 'dat er iets was misgegaan'. Of hij nou zelf seksplaatjes had gedownload of ranzige programma's had gekopieerd, blijft onduidelijk. Feit is wel dat 'Paard van Troje' een internetterm is voor een virus dat via schimmige sekssites bij je binnensluipt en nooit meer weggaat. Na het drama van het Paard van Troje is Nicolien met Bastiaan de porno gaan bekijken. 'Ik ben naast hem gaan zitten en we zijn samen langs alle plaatjes geklikt. Vooral omdat ik hem wilde vertellen dat dit niet normaal is.' Ook *Spuiten en Slikken* heeft ze altijd samen met de kinderen gekeken. Daar gebeurden regelmatig dingen waar zelfs zij van moest fronsen. Nicolien: 'Ze moeten weten dat niet iedereen vrijt in 124 standjes. Ik heb er vooral altijd op gehamerd dat vrijen in het echt veel leuker is dan wat je ziet op pornosites. Op internet is alles hard, koud en lelijk, onder een dekentje met z'n tween is het warm en gezellig.'

Nee, warm en gezellig is het op geen enkele pornosite. De beelden van seksende mannen, vrouwen en wat dies meer zij worden steeds explicieter en harder. Er is een recent Europees onderzoek onder kinderen in verschillende Europese landen (EU Kids Online) dat uitwijst dat dertig procent van de tienjarigen al eens porno heeft gezien. Per ongeluk op internet door het intypen van een bepaald woord (poes) of op televisie. Soms omdat kinderen zelf gaan zoeken. Tweederde van de tieners (10+) doet dat. Niks raars aan of mis mee: pubers ontdekken hun seksualiteit. Wij zochten vroeger ook naar vieze woorden in het woordenboek.

De tienjarige zoon van Annet kwam laatst huilend in zijn pyjama naar beneden. Hij had die dag op de computer 'sex' ingetypt. De grote jongens op school hadden tegen hem gezegd dat dat gaaf was. Hij was zo geschrokken, hij kon er niet van slapen. De meeste kinderen vinden porno akelig. Ze vinden het eng en willen er liever niet naar kijken. 'Logisch,' zegt Justine Pardoen, hoofdredacteur van ouders.nl en deskundig op het gebied van kinderen, sex en internet, 'de beelden zijn veel te expliciet voor kinderen. Wij zagen vroeger ook porno, alleen waren de plaatjes toen vele malen minder uitgesproken waardoor onze fantasie aan het werk kon. In de *Chick* en de *Candy* stonden voornamelijk zwart-witfoto's en veel erotische verhaaltjes. Daar konden we wat mee, je fantaseert namelijk precies dat wat bij je ontwikkeling past.'

Het is waar: porno in de jaren zeventig was spannend en zoet vergeleken bij nu. Het ging in stappen. In de klas werden onder tafel één of twee twijfelachtige plaatjes doorgegeven. Of je lag in de dakgoot met het buurjongetje een pornoboekje te bekijken dat zacht en verkreukeld was geworden door het vele omslaan. Nu is er sprake van een pornobombardement.

Maud (45, zoon en dochter van 12 en 15): 'Toen ik vijftien was las ik *Het verrotte leven van Floortje Bloem* van Yvonne Keuls. In dat boek wordt Floortje ontmaagd. Ze ligt in bed, trekt haar broek uit en steekt haar benen gestrekt de lucht in: zo had ze dat gezien in een seksfilm. Ik moet daar weleens aan denken omdat ik me afvraag wat mijn kinderen oppikken van alles wat ze zien op tv en internet, welke rare ideeën ze opdoen. Als ik over sex praat, steekt mijn dochter haar vingers in haar oren en zingt van lalalala. Maar als we samen *Sex and the City* kijken, geef ik hier en daar toch een lesje voorlichting. In die serie houden vrouwen tijdens het vrijen hun beha aan. Ik zei laatst: 'Dat is niet normaal hoor.' Ze keek me aan! Toen wist ik: goed dat ik het even heb gezegd. Ook vertel ik dat het niet normaal is om je tegelijk in drie openingen te laten nemen. Dat het pijn doet en niet lekker is. Ik zeg: "Het zijn acteurs en ze krijgen er veel geld voor. Als je vrijt met een vriendje is het leuker. En als je niet weet hoe het moet, is dat niet erg. Het is juist leuk het samen te ontdekken."'

Lieneke (47, drie pubers tussen de 11 en 18 jaar): 'Terugdenkend aan mijn eigen puberteit herinner ik me de natuurlijkheid van de ontdekking. Het zoenen, daarna het betasten, en lichtjaren verder kwam dan pas het echte seksen. Ik vond het prettig. Verkennen en genieten en de spanning van het veroveren. Ik denk dat het nu toch een beetje anders is. Dat zie je al aan hoe er gedanst wordt in clips. De sex die je in de media ziet gaat vaak over nare, ellendige dingen als incest en pedofilie. En dan is er natuurlijk de porno. Ik breng de gekte regelmatig ter sprake in het gezin. Als er op tv pornografische beelden langskomen, geef ik mijn mening. Dat het niet kan: maat 34 hebben én zulke grote borsten. Aan tafel hebben we het er ook weleens over. Niet te beladen, maar met een grap, in de sfeer van "iedereen zijn eigen afwijking". Ik ben tegen het aanjagen van angst. Ik vind dat mijn kinderen overal vrij in moeten kunnen zijn. Maar ik benadruk wel dat sex iets leuks is, wat je doet als je veel van elkaar houdt.'

Corine (43, vier kinderen tussen de tien en de zestien): 'Sex en porno kennen we hier in huis en ik probeer beide zaken bespreekbaar te maken. Ik vind het lastig, het is nu eenmaal niet mijn favoriete gespreksonderwerp. Ik vond de aanschaf van de eerste beha voor mijn dochter al een hele mijlpaal en toen de kinderen op intieme plekken haar kregen en zich gingen bedekken, dacht ik: o, nu moet ik eraan. Mijn dochter van zestien weet dat ik er moeite mee heb en provoceert. Ik doe meestal alsof ik niet hoor wat ze allemaal zegt. Het moeilijkste vind ik het idee dat mijn eigen kind sex heeft. Ik heb er nog steeds moeite mee als haar vriendje blijft logeren.'

Een van de misverstanden die ontstaan door porno is dat vrouwen altijd opgewonden zouden zijn. Ook doen de geopereerde en kaalgeschoren vagina's vermoeden dat alle vrouwen er zo uitzien. Er zijn meisjes van elf jaar die hun drie sprietjes schaamhaar afscheren 'omdat het niet hoort'. Dat is vreemd, want schaamhaar afscheren is jezelf voorbereiden op sex en voor een kind van elf is dat te vroeg. Justine Pardoen geeft op scholen lezingen over het onderwerp. Ze zegt dat de ouders in de zaaltjes volstrekt naïef zijn: 'Er zitten moeders van zonen van veertien jaar die zeggen: "Mijn kind kijkt geen porno en is niet met sex bezig." Mensen, álle veertienjarige jongens staan bol van de hormonen en zijn met sex bezig. Bijna alle ouders vinden het moeilijk om over sex te praten met hun kinderen. Velen zeggen: "Ach, ik hoef niets meer te vertellen, ze weten alles al!" Dan zeg ik: "Juist nu moet je praten, kinderen hebben juist in deze tijd duiding van hun ouders nodig." Ook zeggen ouders: "Mijn kinderen willen het niet van mij horen." Dat is een mythe. Kinderen willen zo veel mogelijk horen en vertellen zelf ook graag. Ook veertienjarigen. Ze praten graag over wat ze zien in de media en wat ze daarvan vinden. Een meisje van vijftien vertelde dat haar vriendje haar op de billen sloeg tijdens het vrijen. Ze durfde eerst niet tegen hem te zeggen dat ze het niet fijn vond, maar begon er toch over. Bleek die jongen enorm opgelucht. Hij dacht dat het erbij hoorde en dat hij haar er een plezier mee deed: hij had het in pornofilms gezien.'

Lieneke: 'Mijn dochter van achttien is heel pittig en vrij, ook als het over sex gaat. Zij gaat met mannen naar bed zonder dat er sprake is van liefde. Ik vind het belangrijk dat ze dingen uitprobeert en geniet, ik zou het zorgelijk vinden als ze zich te snel zou binden, maar haar gedrag heeft een keerzijde. Met haar eerste vriendje – ze was vijftien – had ze een SM-achtige relatie. Die jongen had de ideeën van internet. Ik wist nergens van. Ze heeft het me veel later verteld, toen we een keer 's nachts samen in een tent lagen. Ze had het spannend gevonden met die jongen en cool, maar ze was ook volledig afhankelijk van hem. Met de vriendjes die ze daarna kreeg, vond ze het vrijen vooral schattig en lief. Laatst vertelde ze me dat ze nu pas, bij haar huidige vriendje, echt durft te zeggen wat ze wel en niet prettig vindt.'

Maud: 'Waar ik eigenlijk de grootste moeite mee heb, is dat vrouwen in pornofilms worden neergezet als onderdanige lustobjecten. Wat ik mijn kinderen meegeef is dat geen enkele vrouw er in het echt zo uitziet, dat het eigenlijk genetisch ook niet normaal is: die nepborsten en die strakgetrokken vagina's. Ik ventileer regelmatig mijn mening. Daar leren kinderen van. Niet alleen omdat wat hun moeder vindt belangrijk voor ze is, maar ook omdat ze daardoor leren nadenken en kritisch leren zijn. Dat is bij ons thuis de instelling. Ik leer ze dat als ze een keuze maken, daar consequenties aan vastzitten. Als ze op MSN iemand uitschelden, hebben ze een probleem dat ze zelf moeten oplossen. Ik wijs ze op gevaren, maar laat ze het zelf uitzoeken. Soms is het lastig en bijt ik mijn tong bijna af. Er zijn ouders die alles oplossen voor hun kinderen. Ik doe dat niet. Ik denk dat ze het beter leren door ook fouten te maken.'

Het goede nieuws is dat jongeren seksueel niet zijn losgeslagen. De media berichten graag over breezersletjes en kelderboxorgies, maar het valt allemaal mee. Uit het onderzoek seksonderje25ste.nl blijkt dat jongeren iets eerder met elkaar naar bed gaan dan tien jaar geleden. De gemiddelde leeftijd zakte in die periode van 17,7 naar 17,3 jaar. Ook de tijdspanne tussen eerste zoen en eerste keer geslachtsgemeenschap is iets korter geworden. Het was 2,5 jaar en nu is het 2,3. Keurig dus. De grootste verandering van het afgelopen decennium is dat meer jongeren vinden dat je ook sex kunt hebben zonder dat je van elkaar houdt. In 1995 vond één op de zes jongeren dit in orde, nu is deze groep gegroeid tot één op de vier.

De grote vraag is: worden onze kinderen andere mensen door de overload aan seksuele beelden? Huisarts en seksuoloog Peter Leusink meent van wel. 'Maar,' voegt hij eraan toe, 'wijzelf zijn ook andere volwassenen geworden dan onze ouders.' Leusink ziet in de praktijk wel dat er iets aan de hand is: 'Ik denk dat de pornoficatie een gevolg is van de alles-moet-kunnen-mentaliteit. Daardoor zijn er meisjes die zeggen: "Ik heb al sex vanaf mijn dertiende, maar ik voel niets." Wat ik ook signaleer is dat jongeren vaker pornoscripts gebruiken als ze vrijen. Ze denken dat sex hoort te gaan zoals ze zien op internet. Er is onderzoek gedaan waaruit blijkt dat bij stellen waarvan de man porno kijkt, de vrouw vaker pijn bij het vrijen heeft. Dat komt: in pornofilms zijn vrouwen altijd opgewonden en gewillig. In het echte leven ligt dat anders, een te kort voorspel veroorzaakt pijn. De impliciete boodschappen die pornofilms uitzenden maken jongeren onzeker. Het grootste misverstand is dat sex vanzelf gaat en mensen altijd zin hebben. Anderzijds pikken jongeren eerder andere manieren van vrijen op: vergeleken bij hun ouders doen ze iets eerder aan orale en anale sex. Maar veel minder dan de media ons doen geloven. Over anale sex bijvoorbeeld bestaan grote misverstanden. Slechts zes procent van de jongeren doet eraan.'

Voor een kleine groep jongeren is porno de bron van voorlichting. Zij denken: wat ik hier zie, is normaal. En dat wordt het ook als er geen kritische ouder is die hen vertelt dat het anders zit. De boodschap van Justine Pardoen aan ouders: 'Voorzie de beelden van commentaar. Dát is opvoeden. Benoem wat je ziet, zodat ze het snappen. De boodschap aan kinderen moet zijn: dit is geen normaal vrouwbeeld. Dit is geen waarheidsgetrouwe weergave van een vrijpartij. En hoe je het onderwerp ter sprake brengt als je je er ongemakkelijk bij voelt? Door onderweg in de auto iets te vertellen. Of als je samen voor de tv zit. Dan hoef je elkaar niet aan te kijken.' Vertel kinderen vanaf het moment dat ze zelf op internet surfen over wat ze daar kunnen tegenkomen. Als ze acht, negen jaar zijn, dus. Seksuoloog Peter Leusink wil ouders vooral geruststellen. Hij zegt: 'Porno bestrijden en negeren heeft geen zin, het is overal en je moet er iets mee. Als kinderen dertien zijn, zit het grootste werk voor ouders er al op. Als je redelijk kunt praten met je kind en als je weet waar ze na vier uur 's middags zijn en met wie, dan heb je ze behoorlijk opgevoed. Heb je geen idee waar je kind uithangt, dan heb je een probleem. Dan bestaat er een kans dat je kind verzeild raakt op dubieuze sites met verkeerde vrienden. Wat ouders daarnaast zeker niet moeten onderschatten, is dat kinderen zelfsturend zijn. Ze weten wat vals is, wat prettig of niet. Als ze hun ouders hebben zien knuffelen, weten ze wat liefdevol met elkaar omgaan inhoudt. Een puber die in een pornofilm ziet hoe een vrouw aan haar haren naar achteren wordt getrokken en wordt gedwongen een man te pijpen, beseft vaak: dit is niet normaal.'

Maud vroeg haar zoon van twaalf laatst wat porno was. Hij moest even denken en zei toen: 'Dat gaat over neukende mensen.' Zij zei: 'Weet jij het verschil tussen porno en sex?' Dat wist hij: 'Sex doe je met je vriend of vriendin, en porno met vreemden.' Ze viel bijna van haar stoel van bewondering en dacht: het komt goed. Als hij dit nu al snapt, kan ik er op vertrouwen dat het goed komt.

DOE EENS NORMAAL SCHAT

1 HET ZIT OP DE BANK EN HET ZAPT **2** EN NU MIJN HUIS UIT **3** PIJPSLETJE 4EVER **4** NET ZO SLANK ALS MIJN MOEDER

HET ZIT OP DE BANK EN HET ZAPT

De ene dag heb je een schattig jongetje op schoot, de volgende dag stampt er een puber door je huis met harige benen en een onbegrijpelijk sociaal leven. 'Als ik vraag of hij zijn jas op wil hangen, antwoordt hij: kak.'

DOOR LIESBETH WYTZES

Op mijn bureau staat een foto van mijn zoon, toen hij nog voetbalde. Het is een ontroerende foto van een klein jongetje met knikkende X-beentjes en een plukje haar bij zijn kruin dat altijd omhoog bleef steken, wát hij ook deed. Dat vond hij heel ergerlijk, en ik vond het juist zo schattig. Hij was toen een jaar of tien, echt een goede leeftijd. Kinderen hebben op die leeftijd wel een eigen persoonlijkheid, dus ze zeggen grappige dingen die je niet verwacht, maar ze zijn ook nog gezeglijk en gezellig. Als ik zo terugkijk, was dat misschien wel de leukste tijd. Je hebt weinig zorgen en veel plezier van je kinderen. Bleef het maar zo.

Want kom daar nu eens om. Mijn zoon – mijn dochter is veel makkelijker gelukkig, al kun je je daar op een andere manier weer het hoofd over breken – is nu zestien. Hij is langer dan ik en behoorlijk dun, althans, dat lijkt me zo, want de tijd dat ik echt wist hoe hij eruitzag, is allang voorbij. Als hij in de badkamer is, doet hij de deur ferm op slot. Een enorm schaamtegevoel heeft zich van hem meester gemaakt, en dat is aanstekelijk, want ik loop nu ook alleen nog maar bedekt over de gang. Niet dat ík ergens moeite mee heb – maar ik wil hem niet generen. Hij zou het vreselijk vinden om zijn moeder schaars gekleed te moeten zien, dus ik zorg ervoor dat dat niet gebeurt. Tja, wat moet je?

Ongetwijfeld is hij een eigen persoonlijkheid geworden en heeft hij originele eigen opvattingen. Soms merk ik daar wel iets van, dan maakt

159

hij grapjes die echt leuk zijn. Maar het grootste gedeelte van de tijd zit hij wijdbeens onderuitgezakt op de bank, en dat is al heel wat, want het liefst brengt hij alle tijd thuis door op zijn kamer, achter de computer. Zakgeld? Nooit genoeg. En geen idee waaraan het wordt uitgegeven – nou ja, wel een beetje een idee. Niet aan cadeautjes voor z'n moeder, dat is wel zeker.

Hij zegt niet veel: smalltalk en conversatie zijn geen Nederlandse gaven en jongens van zestien kunnen er al helemaal niets van. Misschien praat hij honderduit met zijn vrienden, maar dat weet ik niet, want ik ben er nooit bij. Aan tafel zitten is vervelend, het liefst eet hij op zijn kamer of voor de tv. Maaltijden worden zwijgend naar binnen gewerkt. Of nee, ik doe hem te kort. Af en toe heeft hij een hartstocht voor een woord en dat zegt hij dan heel vaak. Zo horen we nu al weken steeds het woord kak. Zomaar, dat is kennelijk het leukst. Dus je vraagt: 'Wil je je jas ophangen?' Het antwoord is dan 'kak'. Het lijkt gestoord, maar dat is normaal gedrag. Doen zijn vriendjes ook. Ten slotte hoor je het ook niet meer echt. Tegen mij zegt hij als hij in een goeie bui is 'moeders'. Vindt hij grappig. Ik voel me oud. Hij tutoyeert me ook; ik zeg nog steeds u tegen mijn ouders. Maar dat is misschien ook wel raar. Met zijn vriendjes spreekt hij straattaal. Geld is doekoe, schoenen patta's of zoiets. Elke dag komen er nieuwe woorden bij, waardoor de karige conversatie nog moeilijker wordt. En wee mijn gebeente als ík zulke woorden gebruik. Dat is werkelijk he-le-maal niet de bedoeling. Zo'n ouwe tut die mee wil doen.

Zijn kleren? Kon hem vroeger niks schelen. Ik fietste naar H&M en kwam met een tas vol thuis. Ik blij want zuinig, hij blij want nieuwe kleren. *No more.* H&M, daar wil je niet dood in worden gezien. Blue Blood-spijkerbroeken, schoenen van Prada en Dsquared, ondergoed van Armani, overhemden en polo's van Burberry. En natuurlijk in de winter een jas met bontkraag. Of een heel grote broek van Adidas, met drie strepen aan de zijkant. De tijd dat zijn broek echt heel, heel laag hing, zodat je je afvroeg waar dat ding eigenlijk nog aan bleef hangen, is voorbij. Dat is dan weer een verbetering. Altijd draagt hij een pet, op te lang haar dat zorgvuldig is gestyled met handenvol gel. Elke week een nieuwe pot, die naast de Axe-deodorant wordt gezet en uitbundig gebruikt na het urenlange douchen. Zijn vriendje R. heeft een tattoo laten zetten, en komt dat laten zien. Een enorme tatoeage bedekt het zeventienjarige been. Mijn zoon is jaloers. 'Vers!' roept hij. Dat wil hij ook. Ik zeg dat het niet mag, en hij kijkt me meewarig aan. Over twee jaar is hij achttien, en dan mag hij alles, bovendien is hij de dag van zijn verjaardag het huis uit. Naar een ver land. Misschien zien we hem nog weleens terug, misschien niet. Ligt eraan. Zijn probleem is het niet.

Ik weet ook wel dat hij er niks aan kan doen, dat het de schuld is van de prefrontale kwab, en de amygdala, en het controlecentrum van het brein, en de nog niet ontwikkelde hersenhelften versus de al wel ontwikkelde hersenhelften. Die groei gaat nu eenmaal niet gelijk op en daarom doen ze raar. Soms volwassen, dan weer kinderachtig. Force majeure. Wen er maar aan en leef er maar mee. Daar zijn genoeg boeken over te lezen. In die boeken over dat geheimzinnige puberbrein worden kinderen besproken alsof ze bezeten zijn door een geest, een dybbuk, die zich in hun hoofd heeft genesteld en die ze er niet uit krijgen. Zo lijkt het ook vaak, alleen wel vervelend dat die geest er zomaar, zonder enige waarschuwing, van de ene dag op de andere in vaart en vervolgens jaren blijft zitten.

Het ene moment zijn ze zo leuk en zo aanhankelijk, je brengt ze naar school en haalt ze weer op, je staat op het plein en je hart springt op als je je kind uit school ziet rennen, dat kind dat alleen maar oog heeft voor jou en je alles wil vertellen, hun leven is het jouwe, je kent hun vriendjes en de ouders, je brengt ze naar clubjes, je droogt hun tranen, plakt hun pleisters en zit op de rand van hun bed als ze ziek zijn. Je maakt traktaties, organiseert partijtjes, met clowns en cakes en speurtochten door het bos. Je staat 's avonds laat op de trap om slingers op te hangen. 's Morgens, op hun verjaardag, zijn ze zo blij. Thuis is het harmonieus. Je denkt: wat gaat het goed. En dan houdt het allemaal op, als ze naar de middelbare school gaan.

Halen en brengen is voorbij, en dat ga je gek genoeg missen. Met wie ze omgaan, geen idee. Ik hoor namen, maar weet niet wie dat zijn. Ze worden boos als ik die kinderen door elkaar haal, maar ik zie nooit de gezichten. Af en toe verschijnt er een vriendje, dat knort wat onverstaanbaars, en dan gaan ze weer. Ik weet amper wat ze doen op school, met wie ze omgaan, wat ze doen met die vrienden. Meer dan 'chillen' komt er niet uit. Ze hebben een eigen leven en ik heb daar niets meer te zoeken. Als ik doorvraag – wat deed je precies, met wie, waren er meisjes bij – slaat hij dicht en zegt helemaal niks meer.

Van de week zag ik een moeder met een kind fietsen, hand in hand. De school verderop was net uit. Ze keken blij. Ik hoop maar dat die moeder ervan geniet, want dat duurt niet lang meer. Mijn kinderen lopen liever helemaal niet meer naast me, laat staan dat er ook maar een haar op hun hoofd is die eraan denkt om me een hand te geven. Mijn zoon zat ooit dolgraag op schoot en we liepen altijd hand in hand. Ik zal nooit vergeten hoe dat handje mijn hand pakte, ik weet het, het is sentimenteel, maar het was zo lief. Of ik zette hem op mijn schouders. Vast en zeker is hij nog steeds dol op me, dat houd ik mezelf maar voor. Maar hij laat het liever niet merken. Aanraken is verboden: een kus voor het slapengaan mag op zijn wang, zo ver mogelijk bij zijn mond uit de buurt. Alsof ik een ziekte heb. Ik kan me zo goed herinneren dat we tekenden aan de grote tafel, of dat ik hem voorlas, terwijl hij op schoot zat in een schattig donkerblauw broekje. Dat hij voor op de fiets zat, in zo'n stoeltje. Ik weet nog hoe blij verrast hij keek toen hij voor het eerst door een rietje dronk. En hoe grappig het effect als ik bij zo'n prik op het consultatiebureau een stuk chocola in zijn mond deed, net als die opening om keihard te brullen. Werkte geweldig, ondanks de vermaningen van het dienstdoend personeel. Ik weet nog hoe hij altijd moest huilen op het strand, omdat hij de zee eng vond. En hoe hij en zijn zus hysterisch krijsend naar me toe renden omdat ze in een onbewaakt moment waren gaan zappen en een echte bevalling op tv hadden gezien.

Enfin, zo heeft iedereen van die onnozele, lieve herinneringen – aan kinderen die er allang niet meer zijn. Het ene dag kind, de volgende dag een puber, met beginnende baardgroei, harige benen, een onbegrijpelijk sociaal leven. Ruzie over uitgaan, over vakanties, over roken, drinken, geld. Alles helemaal volgens het boekje. Al die dingen waarvan je denkt, pff, dat gaat mij niet gebeuren, mijn kinderen zijn zo lief en leuk. Nou – die gebeuren dus gewoon wel.

Eten en drinken, ook totaal anders. Vooral dat drinken. Ik weet nog dat ik rillend las over het alcoholgebruik van de Nederlandse puber, dat extreem hoog is. En over jongeren die op vakantie op een camping torens van kratten bouwen, hoger dan hun tent. Lege kratten uiteraard. Lachen! Laatst waren we uit eten, dan drinkt hij bier. Hij dronk er maar één, dus of hij het echt lekker vindt, weet ik niet. Maar ik denk het wel, want een paar weken geleden lag ik al in bed toen de telefoon ging. Het was agent X, van politiebureau Y. Of ik de moeder van jongetje huppelepup was? Dat was ik. Ik moest natuurlijk niet schrikken – te laat, ik zat al totaal verward met grote schrikogen rechtop in mijn bed, de angst die je altijd hebt kwam uit – maar het jongetje was opgepakt wegens openbare dronkenschap en ik moest hem maar even komen halen. Ik hees me dus weer in de kleren – wel een heel nette outfit, met parels en alles, want ik wilde niet dat die agenten dachten dat we Tokkies zijn – en ging naar het bureau. Inderdaad zat daar een dronken kind, dat achter op de fiets mee moest en zich knikkebollend liet vervoeren. Ik was bang dat hij in slaap zou vallen op de fiets en eraf zou donderen. Toen hij wegging, had ik hem uitgezwaaid door het raam. Hij en zijn vrienden hadden vrolijk teruggezwaaid, en eentje hield een fles Fanta omhoog. Wat leuk, dacht ik nog onnozel, dat hij zulke goeie vrienden heeft en dat ze Fanta drinken. Ik had natuurlijk niet gezien dat er nog een fles in die plastic tas zat, en daar zat wodka in. Nog voor ze in de stad waren, was hij in elk geval dronken. Ik dacht maar wijselijk dat die paar uur op het politiebureau een betere les zouden zijn dan ik hem ooit kon geven, met al mijn waarschuwingen. En inderdaad is hij nooit meer zo dronken geworden.

Zittenblijven? *Yes sir.* Op school worden 'uitgenodigd' om eens even uitgebreid het gedrag van het kind te bespreken, met de halve lerarenstaf erbij? *Been there.*

Alle dingen die ik ooit, truttig, leuk vond, vinden mijn kinderen bespottelijk. Een boek lezen? Hahahahaha. Daar beginnen ze niet aan. Een instrument bespelen? Zo mogelijk nog erger dan een boek lezen. Ooit gingen we wandelen in het weekend, op zondagochtend een uurtje in het bos. Dat moet ik nu alleen doen, want zij liggen dan nog maar net in bed. Naar muziek luisteren? Alleen verschrikkelijke rap, met teksten vol *bitch* en *fuck*. *Niggers fuck for life*, ontwaarde ik laatst uit de monotone brij vol yo's. Leuk, als je denkt dat je een beetje een geëmancipeerde vrouw loopt te zijn. Was opvoeden niet voorleven? Ik leef ze het leven voor van een fulltime werkende, alleenstaande moeder. Maar ze zien er niks van.

Dit is een klaagzang. Want soms lijkt het of er niets tegenover het getob staat en het een lange, lange tocht door het duister is, of door een tunnel zonder licht aan het einde. Misschien dient die puberteit een doel, namelijk dat je je niet in stukken uit elkaar gescheurd zult voelen van verdriet en eenzaamheid en gemis wanneer ze voor altijd het huis uit gaan. Maar dat je ook een beetje opgelucht zult zijn. Misschien is dat wel wat mensen bedoelen wanneer ze zeggen dat je 'ernaartoe groeit', met zo'n wijze lach, van: wij hebben dat allemaal al meegemaakt.

Ik weet dat mijn kinderen een gewone, doorsnee pubertijd doormaken, en ik met hen. Het kan veel en veel erger. Tienerzwangerschappen. Zwaar aan de drugs. Stelen. Comazuipen. Dus ik prijs me nog gelukkig.

Op zaterdag werkt mijn zoon bij de bakker om de hoek, en als ik langsfiets en hij me ziet, zwaait hij naar me. En dan lijkt hij weer dat jongetje van het voetbalveld.

EN NU MIJN HUIS UIT

Kleuters van negentien zijn het. Die hun moeder beschouwen als een gedienstige lakei die fungeert als werkster, kok en bankfiliaal. Het wordt hoog tijd dat we onze volwassen kinderen het nest uitkieperen.

DOOR DAPHNE HUINEMAN

Irene: 'Ik lig met veertig graden koorts in bed. Mijn zoon Jim komt thuis, met een paar vrienden. Ze rommelen wat, ik word wakker. Ik hoop nog tegen beter weten in op een kopje thee met een beschuitje. Dan hoor ik: "Mam?!" Nee hè, ik stop mijn hoofd onder het dekbed. En weer: "Maaaaaaam! Koffie!" Met mijn stomme kop denk ik nog: ze hebben koffie en vragen mij erbij. Maar wat blijkt als ik onze twee trappen ben afgesloft met mijn koortsige kop: de koffiepads zijn op en geen van allen weten ze hoe ze filterkoffie moeten zetten. Of ik dat even wil doen? En ik dóé het. In mijn badjas met ongeschoren benen, aangestaard door vier jongens van een jaar of twintig. Allemaal derdejaars hbo elektrotechniek. Ik snap de titels van hun studieboeken niet eens. "Willen jullie leren hoe het moet?" vraag ik nog. Nee, schudden ze. Eentje zegt zelfs: "Dat is meer iets van de vorige generatie."'

Ziehier het horrorscenario van mijn toekomst: mijn nu nog handzame kleutertjes hebben dan enorme afmetingen en liggen vooral veel werkeloos op mijn bank, nauwelijks in staat tot het smeren van een boterham. Ik ken namelijk de verhalen van mijn vriendin Irene. Ze heeft al kinderen in de puberleeftijd. Irene: 'Als mijn man en ik in het weekend thuiskomen van een etentje, zitten Jim en zijn vrienden vaak voor de buis in de zitkamer. Met een cordon van chipszakken en lege bierflesjes om zich heen, uit onze voorraadkelder. Wij gaan dan in bed tv kijken.

Dat tekent de verhoudingen wel.' Ik bel een rondje met andere vrienden en kennissen met pubers en jongvolwassenen. Anneke vertelt: 'Laatst was er eindelijk een kijker voor ons huis. Ik was nog een uur eerder opgestaan om op te ruimen en iedereen het huis uit te jagen. Ligt er toch nog een onderbroek mét remspoor van mijn zeventienjarige zoon naast de wasmand. Na al die jaren kan hij blijkbaar nog niet eens zijn billen behoorlijk afvegen.'

Maureen: 'Eindelijk is mijn dochter van 22 het huis uit, maar nu blijkt alles in haar studentenkamer verrot. Staat mijn man zich er een weekend lang in het zweet te werken, terwijl zij 'm smeert. Alsof hij een ingehuurde klusjesman is. En in haar ijskast stond niks te drinken, alleen een pot satésaus.' En Anita zegt: 'Laatst vroeg mijn dochter van veertien hoe je eten opwarmt in de magnetron. Dat bleek van haar gevraagd te worden bij haar oppasbaantje. Bij ons weigert ze dat namelijk te doen: "Ik woon hier, ja!" Toen ik haar uitlegde dat ik hier ook woon, keek ze me glazig aan.' Vriendin Janneke vertelt: 'Mijn man wekt onze negentienjarige dochter Kim twee keer per dag. Een keer om tien voor half acht en een keer om tien over half acht, als ze echt moet opstaan. Dat moet op de minuut nauwkeurig, anders krijgt-ie een grote bek. Eh, ja natuurlijk heeft ze een wekker.' Maar tijdens mijn belrondje hoor ik ook: 'Zolang mijn kinderen het goed doen op school, hoeven ze niets te doen in huis. Zelf moest ik op mijn veertiende altijd de halve zaterdag in de tuin werken van mijn vader. Traumatisch vond ik dat.'

Traumatisch. Vroeger werd het gebruikt voor roofovervallen en verkrachtingen, nu voor onkruid wieden. Ikzelf ben intussen 44 en vraag me af: moest ik zelf nou zo heel veel in huis doen, vroeger? Nee, beschamend weinig, terwijl ik twee fulltime werkende ouders had. Toch kon ik koken op m'n twaalfde. Ik deed boodschappen en ruimde mijn kamer op. De overgang naar zelfstandig wonen op mijn achttiende voelde dan ook volkomen natuurlijk. In het studentenhuis was de hilariteit groot toen een huisgenoot de trap af kwam met een blik en blikopener in haar handen: 'Weet iemand hoe dit werkt?' Toch had ook zij niet kunnen wachten tot ze na de middelbare school op zichzelf kon gaan wonen. Wat was er nu mooier dan zelfstandig zijn?

Daar denken jongeren tegenwoordig dus heel anders over. Sinds een jaar of twintig blijft het merendeel weer lekker thuis wonen. Hoe lager de opleiding, hoe langer ze sowieso al bleven plakken (hogere opleidingen zijn vaak verder van huis), maar nu is op sommige universiteiten al bijna de helft van de studenten thuiswonend. Eindhoven en Enschede vrezen hardop voor het verdwijnen van hun gezellige studentencultuur, in sommige steden dreigt een kameroverschot. Meisjes vertrekken tegenwoordig gemiddeld op hun 21ste uit huis, jongens zelfs pas op hun 23ste. Mijn vriendin Mathilde heeft een 24-jarig exemplaar thuis wonen. Hij laat zijn kleren daar liggen waar hij ze uittrekt. Tijdens mijn vorige etentje bij haar thuis, stapte ik op zijn trui op de wc-vloer. 'Robert-Jan moet het huis uit,' gaf ze toe, 'maar ja, het is zo moeilijk iets te vinden in Amsterdam.' Het komt niet in Mathilde op dat hij zijn wooncarrière misschien ook buiten de grachtengordel zou kunnen beginnen. En dus blijft haar zoon lekker hangen in Hotel Mama, een vijfsterren all inclusive lustoord waar je nooit vreemde haren uit het doucheputje hoeft te vissen, waar altijd als bij toverslag een warme maaltijd op tafel komt, bier in de ijskast staat en een gratis auto voor de deur. En bij elk probleem staat er een gedienstige hotelemployee klaar.

'Als Jim gedoe heeft met zijn studiefinanciering, dan ben ik het die belt om het te regelen,' zegt Irene. Hoe zit het eigenlijk met *good old* kostgeld? Mathilde: 'Niemand van onze vrienden vraagt het, zo ongezellig. Volgens mij is het ook uit de tijd.'

Op zijn site beweert het Nibud echter stellig van niet. Volgens dit instituut voor budgetvoorlichting kost een inwonend volwassen kind alleen al aan voeding € 160 per maand – chips en bier niet meegerekend – om over gas, licht, schoonmaken, huur en toiletartikelen nog maar niet te spreken. Daar mag je volgens het Nibud best wat voor vragen aan je kind. Mathilde: 'Maar die kosten betaal ik ook als mijn kind het huis uit is. Plús zijn huur, gas en licht.' 'Waarom zou je dat doen, hij kan toch een lening afsluiten of een baantje nemen?', wil ik vragen, maar ik besef dat het zinloos is.

Hebben we ons als vrouwen eindelijk ontworsteld aan het juk van de onderdrukkende man, onderwerpen we ons geheel vrijwillig aan onze prinsjes en prinsesjes. Vroeger kreeg je kinderen zodat ze voor je konden zorgen als je oud was. Nu krijg je kinderen om vervolgens voor ze te zor-

167

gen tot jijzelf oud bent, en iets terugdoen hoeven ze niet meer. Sterker nog, als je oud bent, moet je ook nog op hún kinderen passen. Je enige wraak is dat je die nog meer zult verwennen dan zij, waardoor zij pas hun veters kunnen strikken op hun vijftiende.

Ik kijk naar mijn eigen kleintjes. Waarom smeer ik nog steeds de boterhammen van mijn dochter van zes? Waarom kan mijn zoon van bijna vier zijn T-shirt nog niet aantrekken? Eh, omdat ik het doe. In slechts een derde van de Nederlandse gezinnen helpen kinderen onder de tien jaar met schoonmaakklusjes, blijkt uit onderzoek. Ook zijn het nog steeds vooral vrouwen die schoonmaken. Jammer, want juist als papa poetst, doen kinderen aantoonbaar meer in het huishouden. Maar ja, wat papa het vaakst poetst is de plaat.

Met vroeg beginnen is dus een hoop huishoudelijk leed te voorkomen. Volgens het psychologengilde op internet kan een kind van vier best de boodschappen uitruimen, eentje van zes kan al stofzuigen en als ze negen zijn is de badkamer soppen geen onredelijke taak. Mmm, afgezien van het dochtertje van een chronisch zieke vriendin, die als peuter al haar eigen ontbijt regelde, zie ik het geen enkel klein kind doen. En dan moet je ook nog consequent zijn en er continu achteraan jagen dat de afgesproken taken ook worden uitgevoerd, ook al geen fort van de meeste ouders, gezien al die obese, schermverslaafde, alcoholische kinderen. 'Ik doe het zelf wel, da's sneller', is het verweer van veel moeders als ze weer de boontjes voor hun kinderen doppen.

Marlise is een alleenstaande moeder met een dochter van negentien. Die is lief, verstandig, ondernemend, creatief, intelligent: een prijskonijn. En toch is de irritatie er bij Marlise behoorlijk ingeslopen de laatste tijd. 'Fien doet nu een prestigieuze opleiding, ze heeft een vriend met wie ze stedentrips maakt. Ze bevindt zich inmiddels in de grotemensenwereld, zou je zeggen. Maar ze woont nog steeds thuis en ze gedraagt zich als een kleuter. Haar kamer is een absolute puinhoop, uit zichzelf doet ze amper iets in huis.'

Familietherapeut Susanne Donders: 'Vroeger wilden kinderen zo snel mogelijk het huis uit, de vrijheid die ze dan kregen was zeer begerenswaardig. Dat is totaal veranderd, want je ziet dat oudere kinderen thuis meer en meer op zichzelf wonen. Op hun kamer hebben ze een eigen computer, televisie, soms een douche, privacy en mogen ze doen wat ze willen. Waarom zouden kinderen nog weggaan, of uit zichzelf van alles gaan doen in het huishouden?'

Wat is een kind eigenlijk? vraagt hoogleraar Sociale Wetenschappen Christien Brinkgreve zich af in haar boek over de jeugd van tegenwoordig *Vroeg mondig, laat volwassen*. Een eeuw geleden moesten de meeste kinderen op hun twaalfde van school, daarna gingen ze werken en werden ze geacht zich als volwassenen te gedragen. Puberteit met alle innerlijke stormen van dien? Lekker een beetje chillen zonder verantwoordelijkheden? Het kon gewoonweg niet. Natuurlijk hebben kinderen veel verworven in een eeuw. Ze zijn emotioneel en verbaal begaafder dan wij ooit zullen worden; dankzij het *Jeugdjournaal* en internet weten ze al van kleuter af aan wat er speelt in de wereld; door de relatieperikelen van hun ouders zijn ze vervolgens bevrijd van hun laatste restje naïviteit en met hun vele bijbaantjes draaien ze toch een beetje mee in de echte wereld. Toch kun je zeggen dat de kindertijd zich in de twintigste eeuw met een jaar of tien heeft verlengd. Ook veel twintigers zijn nog voornamelijk bezig met studeren, het ontdekken van de wereld en zichzelf. Daarbij komt dat hun ouders zich steeds jonger gaan gedragen. Je hoort moeders gillen in de Pagode van de Efteling of ze dragen dezelfde glitter-Birkenstocks als hun dochters. Dat infantiele gedrag noopte de dochter van Jennifer Saunders in *Absolutely Fabulous* misschien tot een rebelse attitude in de vorm van verantwoordelijk gedrag, maar in het echte leven werkt het helaas zelden zo.

We weten precies wat we voor onze kinderen willen: dat ze gelukkig zijn. Daar hebben we enorm in geïnvesteerd door onze carrière, al dan niet tijdelijk, stop te zetten toen ze klein waren en krom te liggen voor hun hobby's, bijlessen, therapeuten en studiekosten toen ze groter werden. Dit allerbelangrijkste project van ons leven, dat zo'n groot deel van onze identiteit vormt, mag nu het bijna klaar is toch niet mislukken? Wat we ook willen – dé makke van het moderne gezinsleven – is dat alles leuk is, voor onze kinderen en voor ons. Een gezagsverhouding hebben we allang niet meer met oudere kinderen, dat is net zo ongezellig als kostgeld vragen. Nee, we onderhandelen, en we zijn vriendjes. Irene: 'Mijn dochter vertelt mij alles over haar liefdesleven en dat van haar vriendinnen.

Ze vraagt me ook om advies. Ik vind het enig dat we zo vriendschappelijk met elkaar omgaan.' Familietherapeut Susanne Donders vindt dit niet altijd gezond. 'In zo'n vriendinnenrelatie blijven dochters ter compensatie vaak hangen in de kinderrol. Er komt heel veel af op kinderen, tieners, twintigers. Ze hebben ook ontzettend veel keuzes. En al zijn ze verbaal sterker dan ooit, in wezen staan ze niet steviger dan vroeger. Door ons gepamper gaan kinderen zich alleen maar kinderachtiger gedragen.'

Hoe krijgen we die onderbroeken dan van de vloer, die pannen op het vuur, die lichamen van de bank? Susanne Donders: 'Pubers en jongvolwassenen veranderen alleen als het echt moet.' Dus? 'Dus je zult zien dat als ze het huis uit gaan, ze ineens van alles kunnen.' 'Ja maar,' werp ik tegen, 'ik ben er niet bang voor dat mijn kinderen niets zullen kúnnen, ik ben zo bang dat ze het niet zullen dóén zolang ze thuis wonen. Wat ik mijn kinderen wil bijbrengen, realiseer ik me na het aanhoren van alle horrorstory's van mijn vrienden, is enige gemeenschapszin. Iets van rekening houden met elkaar, iets voor elkaar over hebben, enige frustratietolerantie kweken zodat onkruid wieden geen trauma wordt.' Therapeut Donders: 'Laat kinderen ook echt invloed uitoefenen op het huishouden, doordat ze bijvoorbeeld helemaal zelf het eten regelen. Als het hele gezin erop rekent dat jij boodschappen doet en kookt, kun je er echt niet meer onderuit. Vaak zijn kinderen intellectueel allang zo ver op school of op kamp, maar thuis gedragen ze zich nog steeds als kleuters. Toen ik het drukker kreeg met m'n werk heb ik mijn drie kinderen er ook bij betrokken en gezegd: "Ik red het niet zonder jullie hulp." Toen gingen ze nadenken, en dat werkte heel goed. Doe je dat niet, dan vervallen kinderen in een reactief patroon van rekken. Zodat moeder het maar weer even zelf doet. Want let wel: dit is het leven dat wíj onze kinderen geven. We doen het zelf.'

Wat we ook zelf doen: ons ergeren, terwijl het gedrag van onze kinderen onvermijdelijk is zolang wij als ouders niet serieus een appel op ze doen. En als ze echt niet van veranderen en volwassen worden willen weten, dan moeten wij ze maar liefdevol maar resoluut het ouderlijk nest uit kieperen.

'De jeugd van tegenwoordig houdt van luxe. Ze heeft slechte manieren, veracht alle gezag, heeft geen respect. Jongeren tiranniseren hun ouders.' Nee, hier spreekt geen Geert Wilders, maar de Griekse filosoof Socrates, vijfhonderd jaar voor Christus.

Tot mijn stomme verbazing heeft Mathilde na ons gesprek maatregelen genomen. 'De druppel was voor mij dat ik Robert-Jan aantrof in de keuken, terwijl hij geitenkaasjes in spek aan het wikkelen was. Daarna overgoot hij ze met een soort honingsausje en legde ze onder de grill. Hij was uitgenodigd om bij zijn vriendin en haar familie op een paasbrunch te komen, en ze zouden allemaal een gerecht maken. Hij was het zijne alvast aan het uittesten. Voor ons, de mensen die het meeste van hem houden, neemt hij nooit de moeite om maar een pan spaghetti bolognese op tafel te zetten. Krijgt-ie een nieuw vriendinnetje, produceert hij ineens een driesterrengerecht! Dat hij 's ochtends vroeg kotsend in de tuin staat na een feest, daar kan ik nog mee leven. Maar die paasbrunch bij zijn potentiële schoonouders deed de schellen van mijn ogen vallen. Is hij nou helemaal! Na de zomer moet hij hier weg zijn.'

Oké, lieve dochter en zoon van me, jullie zijn nu zes en bijna vier, maar op jullie achttiende verjaardag vliegen jullie eruit. Met eelt op je vingers van het onkruid wieden en hopelijk ook wat eelt op de ziel.

PIJP-
SLETJE
4EVER

Kinderen masturberen en kotsen vrolijk voor de webcam om daarna in één moeite door online aan het stelen en treiteren te slaan. En zo laten ze sporen na waarmee ze in de toekomst serieuze problemen kunnen krijgen.
DOOR DAPHNE HUINEMAN

Marjo Boss: 'Een paar weken geleden dronken mijn oudste dochter en ik een kop thee toen het hoge woord eruit kwam. 'Ik vind dat je dit moet zien', zei mijn kind, en ze liet me een foto zien van mijn jongste dochter van veertien en haar vriendinnen, die ze van internet had geplukt. De meiden hadden elk een bolle rechterwang, alsof er een penis tegen de binnenkant duwde. Pijpsletjes 4ever, stond erbij. Ik was verbijsterd. Mijn jongste houdt me keurig op de hoogte van het aantal keren dat ze zoent. Bij de jongen die ze nu leuk vindt, staat de teller op vier. Aan orale sex heeft ze nog nooit gedaan, of ik moet me heel sterk vergissen. Hoe kon ze deze foto dan online zetten? En het idiote was, ik had nog maar kort ervoor een uitgebreid gesprek met haar gehad over de gevaren van internet, in het bijzonder over het beeld dat je daarop van jezelf schetst. Ik probeerde haar duidelijk te maken dat je met compromitterende foto's en teksten jezelf in de problemen kunt brengen als je later een opleiding wilt volgen, solliciteert, of een relatie krijgt. Mensen googelen elkaar continu. Ja, ja, dat wist ze heus wel en nee, ze deed echt geen rare dingen op het net. Ze was toch niet dom, of zo? Krijg ik een paar weken later deze foto te zien! Wat me nog het meest verbaasde, was dat ze niet snapte dat ze iets fout had gedaan. Ze zag het als iets volkomen onschuldigs. Soms denk ik: het zal wel door de gangstarap-cultuur komen, door die achterlijke, seksueel getinte clips die ze elke dag zien, waardoor begrippen als sletje en bitch devalueren. Zo noemen die meiden elkaar de hele dag. Laatst sprak het keurige vriendinnetje van mijn dochter míj aan met: 'Hé kutje, is er nog koffie?' Enfin, ik heb nogmaals met mijn jongste gesproken en hopelijk begrijpt ze nu wél dat zo'n foto later tegen haar kan werken. Ze heeft hem van haar Hyves-profiel afgehaald.'

In verreweg de meeste gezinnen hebben ouders geen idee wat hun kinderen precies zien en doen op internet, al denken ze vaak zeker te weten dat het wel snor zit. Dat is gevaarlijk, voor hun veiligheid nu, maar ook voor hun toekomst. Zoals die van dat veertienjarige meisje uit Gouda, dat in 2006 werd gefilmd terwijl ze dronken seksuele handelingen verrichtte. De twee jongens en meisjes die dit filmpje op internet verspreidden, zijn opgepakt, maar toen had heel Gouda en omstreken het al gezien.

Zouden de ouders van de duizenden Nederlandse kinderen die op internet openlijk hun klasgenoten treiteren en soms zelfs met de dood bedreigen – ongeveer vijftien procent geeft het toe in onderzoeken – weten dat hun schatje dat doet, vaak met naam en toenaam? Welke moeder weet wat voor uitdagende poses haar puber aanneemt op sites als Sugababes en Hyves? En heeft ze enig idee met wie haar dochter chat en hoe die gesprekken verlopen? Enkele maanden geleden is een 49-jarige man in Breda veroordeeld omdat hij zich voordeed als tiener, meisjes verleidde zich uit te kleden voor de webcam, en hen vervolgens met de beelden chanteerde om sex met ze te hebben.

Bij de gevaren van internet draait het om sex, geweld, verslaving en online pesten. Begrijpelijk, want bijna de helft van de Nederlandse jongens heeft meer dan honderd pornofilms gezien en een vijfde van alle jongens en meisjes was jonger dan twaalf bij het zien van de eerste pornofilm. Het wereldwijde onderzoek Pornography Statistics geeft een nog extremer beeld: kinderen komen rond hun elfde voor het eerst met porno in aanraking, negentig procent van de kinderen tussen de acht en zestien jaar ziet pornofilms, vooral wanneer ze achter de computer zogenaamd hun huiswerk doen. En lang niet iedereen vindt dat prettig: achteraf hadden de kinderen veel beelden liever niet willen zien.

Wie nu nog steeds gelooft dat het allemaal wel meevalt, moet het verontrustende boek *McSex* van journaliste Myrthe Hilkens eens lezen. Het gaat over de pornoficatie van onze samenleving en hoe dat jongeren be-invloedt. Wat Hilkens nog het meest schokt is dat tachtig procent van de kinderen geen afspraken met ouders heeft gemaakt over internetge-bruik. En als er al regels zijn, dan betreffen die meestal alleen de tijds-duur van het surfen of gamen, niet wát een kind doet in die tijd.

Marjo Boss: 'Mijn dochters willen niet dat ik meekijk, en dat snap ik wel. Ik wil ook niet dat zij meekijken als ik een erotische site aanklik.' Maar is dit hetzelfde? Afgezien nog van de eventuele schadelijkheid van porno voor de kinderziel, kan een tiener in een heleboel kuilen tegelijk vallen op het net. Pedofielen die azen op kwetsbare meisjes, bekenden die seksueel getinte webcambeelden online zetten, het zien van extreem gewelddadige beelden, gameverslaving, online pesten of gepest worden, illegaal software downloaden of virussen rondzenden. In Groot-Brit-tannië koopt een vijfde van de kinderen stiekem online met de credit-card van hun ouders, met een totale schade van 228 miljoen euro per jaar. Omdat het vaak om kleine bedragen gaat, komen de meeste diefstallen nooit aan het licht.

Pesten, experimenteren met sex, alcohol en drugs, jatten, het hoort tot de standaard jeugdzondes. De meeste ouders stalen vroeger geld uit moeders portemonnee om snoep te kopen, of stopten in de winkel een Mars-reep in de zak. Wij lagen als tiener ook weleens laveloos onder de bar, gebruikten drugs, vertelden de geheimen door van onze beste vrien-dinnen aan andere beste vriendinnen, belden op kosten van de baas een half uur naar familie in Australië en stelden – pijpsletjes die we waren – orale sex niet per se uit tot we meerderjarig waren. En we doen die din-gen nog steeds, op het snoep stelen na misschien. Dus wat is nou het pro-bleem?

Dat is de digitale voetafdruk. Tegenwoordig verdwijnen je roddels niet in de telefoon, ze liggen zwart op wit vast op MSN. In deze tijd wordt van elk gênant moment in een puberleven een foto met een mobiele tele-foon gemaakt en met een beetje pech circuleert die de volgende dag op het net. Zo kan een kleine zonde als het gebruiken van drugs, kinky sex hebben of een ongenuanceerde uitspraak doen, je een leven lang achter-volgen. Of fout politiek commentaar, ontsproten uit het extreme, impul-sieve puberbrein: 'Het probleem is dat rijke Joden de macht proberen te handhaven door de landen vanbinnen kapot te maken.' Zou de moeder van deze jongen weten dat haar zoon dit bericht heeft geplaatst op de rechts-radicale site stormfront.com? En realiseert ze zich dat een toekomstige werkgever die uitspraak óók leest als hij aan het googelen slaat? Als de werkgever van Gladys G. zijn medewerkster even opzoekt op wie-owie.nl, ziet hij dat ze halfnaakt op Hyves heeft geposeerd en op jongeren.blog.nl om een vals diploma heeft gebedeld. Tja, die nemen we toch maar niet aan op de boekhouding.

Iedereen heeft wel iets te verbergen, en iedereen die dat ontkent moet zich afvragen waarom ze de wc-deur dan sluit. Je digitale voetafdruk is een verzameling digitale drollen die ergens in het riool genaamd cyberspace rondzweven. Je kunt er nooit meer last van hebben, maar er kan er ook eentje op een onzalig moment opduiken, net als je een opleiding wilt volgen waarvoor onbesproken gedrag vereist is, als je een baan zoekt, of als je een nieuwe relatie krijgt en je geliefde enthousiast gaat graven in je verleden op het net.

Ook een schuilnaam helpt dan niet. Joost Boer: 'Onlangs kwam een gewaardeerde stagiaire in mijn bedrijf in aanmerking voor een vaste baan. Ik had het contract al klaarliggen, maar besloot haar op het laatst toch nog even op internet na te trekken. Het was het een fluitje van een cent om de blogs te vinden waarop ze verslag deed van ervaringen met paddo's en pillen, anoniem, maar met het grappige synoniem dat ze ook weleens gebruikte in haar mails naar mij. Ik dook er dieper in en traceerde de verzonnen naam ook op een site voor eetstoornispatiënten, waarop ze uitlegde hoe je het beste geluidloos kon overgeven. Aha, dus daarom lunchte ze nooit mee. Al functioneerde ze uitstekend, ik durfde het niet meer aan en heb haar laten gaan zonder dat ze wist wat haar de das had omgedaan.'

'Wat je online doet, wordt opgeslagen door onder andere Archives.org en Google, maar dat beseffen de meeste jongeren niet. En het kan ze ook niet schelen, ze leven in het nu', zegt Remco Pijpers, directeur van Mijn Kind Online, een kenniscentrum over computer- en mediagebruik. En hoe zit het dan met de Pijpsletjes 4ever? Pijpers: 'Als je er vroeg bij bent, hoeft het niet zo verschrikkelijk te zijn. Heb je pech, dan is de foto al verspreid via internet. Aan jongeren die zo'n foto afdoen als onschuldig, vraag ik altijd: "Zou jij jezelf ook zo op de voorpagina van *De Telegraaf* willen zien? Want dit is een stuk erger."'

Misschien komt het omdat we in een overgangsperiode leven, dat we zo traag reageren op het internetgedrag van onze kinderen. De eeuw van de transparantie is immers nog maar net aangebroken. Het boeit ons al nauwelijks dat de overheid van plan is elektronische patiëntendossiers over ons aan te leggen, overal bewakingscamera's hangen, en we te allen tijde te lokaliseren zijn via onze mobiele telefoon. Het rare is dat internet bij de meesten van ons nog steeds een behaaglijk gevoel van anonimiteit oproept. Onzichtbaar en onhoorbaar surfen we over de digitale snelweg, droppen een meninkje hier en daar, kijken een pornootje en downloaden een illegaal filmpje, ach, niemand die het merkt. Het is net alsof we er niet zijn. Maar we zijn er juist duidelijker dan ooit.

Dat werd Veerle Dudik onlangs pijnlijk duidelijk. 'Mijn stiefzoon had expres de webcam van mijn laptop aan laten staan, en wat komt er tot mij via een bevriende moeder? Een filmpje van mijn man die minutenlang op de meest gore manier in zijn neus zit te peuteren. En het daarna, nou ja, laat maar. Het was echt té vies. Het kwam van de Hyves-pagina van mijn stiefzoon. Zijn vrienden en hij blijken treurige filmpjes over hun ouders uit te wisselen. Ik ben digibeet, maar mijn man niet, dus we braken in op zijn computer en vonden een tenenkrommend clipje van mij en een vriendin, bezopen op een feestje. Ik ben humanresourcemanager, maar ik zou mezelf nooit hebben aangenomen na het zien van dat filmpje. We durven zoonlief niet te confronteren met onze inbraak in zijn computer. Wie weet wordt hij dan wel zo boos dat hij die filmpjes van mij op het openbare net gooit. Ik weet nu in elk geval dat er op bijna elke laptop standaard een webcam is ingebouwd. En hoe ik die uit kan zetten.'

Remco Pijpers van Mijn Kind Online: 'Hoe wil je overkomen op internet, nu en over tien jaar? Dat moeten ouders met hun kinderen bespreken. Leer ze hun online leven te managen. Zelfs een foto waarop je rookt, kan later negatieve gevolgen hebben. Vertel kinderen over privacy, de sporen die je achterlaat op internet en wat mensen nu al allemaal over ze kunnen vinden. Kinderen hebben onze hulp hard nodig. Het klinkt melodramatisch, maar ze snakken er zelfs naar. Pubers zoeken hun grenzen op, zeker op internet, maar willen zich ook kunnen spiegelen aan volwassenen. Veel ouders hebben het idee dat ze hun kinderen niet kunnen helpen, omdat ze weinig begrijpen van de online wereld. Of ze vinden dat ze zich niet met het online leven van hun kinderen moeten bemoeien, omdat dat privé is. Maar weinig is meer privé en zeker het internet niet. Alles gebeurt tegenwoordig op de digitale snelweg: verliefd worden, verkering vragen, sex voor de cam. Elke jongere, óók jongens, wordt wel eens seksueel benaderd, meestal overigens door leeftijdgenoten. Daar wil je het toch met ze over hebben? Erken hun digitale jeugdcultuur, praat met ze over wat ze daar tegenkomen en waarschuw ze voor gevaren. Daarvoor heb je media-les nodig, hulp van school en de ervaringen van andere ouders. Geef je kinderen vertrouwen en wees vooral niet bang. Kinderen voelen dat haarfijn aan en dan zijn ze weg.'

'Ach, ik snap niks van computers.' Hoe vaak heb ik mezelf en veel vrouwen in mijn omgeving dat niet horen roepen. Geen smoesjes meer, ik ga vannacht nog de gratis pornosite pornhub.com bezoeken, waarop mijn vierjarige dochter over gemiddeld zeven jaar haar eerste anale sekspartij zal bekijken. Daarna door naar de Hyves-pagina van een van mijn nichtjes, even kijken wat voor sex, drank en drugs zij en haar posse nu weer tot zich hebben genomen. Ha, kotsen op de stoep voor de kroeg. Niks nieuws onder de zon, maar o, wat ben ik blij dat een registratie van deze afgang mij bespaard is gebleven.

NET ZO SLANK ALS MIJN MOEDER

Hoe vaker moeders op de weegschaal staan, hoe kritischer ze zichzelf in de spiegel bekijken, hoe meer dochters geobsedeerd worden door hun gewicht. 'Misschien had oma ook wel een eetstoornis.'

DOOR JOSÉ ROZENBROEK

Een paar weken na de dood van mijn moeder vraagt mijn vader mijn zus en mij of we het kamertje van mijn moeder willen opruimen. We willen niet, we stellen het uit, waarom kan het niet blijven zoals het is? Maar mijn vader dringt aan en op een mooie zomerdag gaan we aan de slag. Dat kamertje van mama, met het bed waarin ze sliep als pa weer eens snurkte, met het stokoude radiootje waarmee ze luisterde naar *Met het oog op morgen*, met haar secretaire waarin ze brieven, kaarten, een leeg postzegeldoosje en duizend andere rommeltjes bewaarde. Aan de muren foto's van de kinderen en kleinkinderen, en ook nog een oude schoolfoto van haarzelf. In de kasten hangen broeken, bloesjes en jasjes, nog vaag haar vertrouwde geur verspreidend. Naast het bed een laag tafeltje met eronder een weegschaal. Niet meer het afgeschilferde bruine exemplaar uit onze jeugd, maar een moderne digitale. Op het nachtkastje ligt een blocnote waarin eindeloze rijen cijfers, gerangschikt onder een hoofdletter M en A: 118, 119, 118, 118, 117, 119, 120, 118, 116, 114, 112, 113, 111, 110, 108...

Mijn zusje en ik zitten op het bed, we kijken naar de cijfers in dat blocnoteje en vragen ons af wat ze betekenen. Opeens weet ik het: elke morgen en elke avond had mijn moeder zich gewogen en haar gewicht in ponden – mijn moeder had het altijd over ponden, nooit over kilo's – genoteerd onder de M van morgen en de A van avond.

178

We worden er stil van. Mijn moeder is 83 jaar geworden, op het laatst was er bijna niks meer van haar over. En toch bleek ze tot het laatste moment geobsedeerd door haar gewicht. 'Misschien had mama wel een eetstoornis', zegt mijn zusje.

Mijn moeder schommelde haar hele leven tussen slank en volslank. Niet mager, helemaal niet, ja, aan het einde van haar leven. Ik herinner me haar vooral met stevige dijen, ferme kuiten, een slanke taille, een redelijk platte buik voor een vrouw die zes kinderen had gedragen en een mooie boezem die tot haar spijt groter werd naarmate ze ouder werd, 'want dan leek je wel tien pond dikker'. Om kleren gaf ze niet, maar wat haar figuur betreft was ze ijdel en ze vond het vreselijk om ouder te worden. 'Vind je me dik in dit truitje? Kleed deze broek me wel af? Ik ben in de vakantie vier pond aangekomen, kun je het erg zien? O, die kop met rimpels! Die vellen aan mijn armen! Moet je die benen zien, die kan ik toch niet meer vertonen!' Als jongste en enig overgebleven dochter in huis bombardeerde ze me met vragen en opmerkingen, hengelde ze naar complimenten en jammerde ze over het onherroepelijk ouder wordende lijf. Mijn vader en ik susten en complimenteerden ons suf, maar veel mocht het niet baten. Mijn moeder verlangde altijd terug naar hoe ze eruitzag toen ze dertig of veertig was; vijftig desnoods, toen ze zestig, zeventig, tachtig werd.

Ze lette ook goed op of mijn zusjes en ik niet te dik werden. Toen een van de zussen een jaartje verpleegkundige was en uitdijde door alle taart, uitgedeeld door dankbare patiënten, was dat een issue bij ons thuis. Dat een andere zus 'net zo stevig' gebouwd was als een van de oma's, bleef niet onopgemerkt. Dat ik 'zo'n lekker figuurtje' (overigens precies het lijf van mijn moeder) had, dat moest ik bewaken hoor!

Niet dat we thuis ooit echt aan de lijn deden. Er was bij elk kopje thee of koffie wel iets lekkers. Toen ik op mijn zeventiende in korte tijd veel aankwam en voor het eerst van mijn leven op dieet ging, maakte ik zelf mijn gestoomde koolvis klaar, daar had mijn moeder echt geen zin in. Zij hield liever haar gewicht op peil door elke dag kilometers te fietsen en te wandelen, op het maniakale af. Toen zag ik dat als een bijzonder grote voorliefde voor de natuur en lichaamsbeweging. Nu weet ik wel beter.

Dat ga ik later anders doen, besloot ik, hooghartige puber. Eventuele dochters zou ik niet lastigvallen met de eeuwige kritiek op het eigen en andermans lijf. Ik zou gewoon oud worden, zonder gezanik en gezeur, daar viel toch niks aan te doen. Ondertussen hield ik dat lijf, dat na mijn puberteit bipolaire schommelingen vertoonde, scherp in de gaten. Ik ging op dieet als dat nodig was, ik fietste rondjes door de duinen om slank te blijven en een extra rondje als ik een zak Chocotoffs had leeggegeten. Ik bleek meer op mijn moeder te lijken dan ik ooit had gedacht.

En toen werd ik ouder en kreeg ik twee dochters. Mijn gewicht stabiliseerde en ik hoefde tot mijn grote blijdschap niet meer te lijnen. Ik werd nog ouder en de dochters werden pubers. Mooie, leuke, slimme, meiden. Slank ook, dat hield ik stiekem goed in de gaten. Ik gaf ze veel complimenten, want ik wilde hun een goed zelfbeeld meegeven. Minder vernietigend dan dat van mijn moeder. Minder streng dan dat van mezelf, want ook ik keek vaak in de spiegel, soms mild en waarderend, vaker hardvochtig en kritisch. Ik wilde dat ze gezond en tevreden zouden opgroeien, zonder complexen. De weegschaal ging de deur uit toen ik in de krant las dat opgroeiende dochters in huishoudens zonder weegschaal slanker bleven. Aan diëten deden we niet – ook niet aan frisdrank en snoep. We aten gezond, 's middags was er een koekje bij de thee en 's avonds een stukje chocola.

O, wat was ik toch een goede moeder als het ging om het goede voorbeeld en de kinderen een stevig zelfbeeld mee geven. Veel beter bijvoorbeeld dan Audrey in de roman *De idealisten* van Zoë Heller (geweldig boek trouwens), die een afkeer heeft van haar dikke dochter Karla.

Audrey nam haar met een afkeurende blik op. 'Het lijkt wel of je dikker bent geworden.'
'Dank je', zegt Karla.
'Zeur niet. Niemand anders zal het tegen je zeggen.'
'Oké', zegt Karla op vlakke toon.
'Wat is dat nou voor een antwoord?' vroeg Audrey.

Een kreng van een moeder, die Audrey, dat is duidelijk. Nee, dan doe ik het beter. Toch? hengel ik bij de dochters. 'Denk je nou echt dat je ons het goede voorbeeld gaf? Dat wij kritiekloos in de spiegel kijken, terwijl jij altijd zo hard over jezelf en anderen oordeelt?' zegt Jongste Dochter (18). Hoezo oordeel ik hard over anderen? Horen ze me ooit iets onaardigs zeggen over het gewicht van mijn vriendinnen? 'Nee, misschien niet over je vriendinnen, wel over vrouwen op straat, in bioscopen, achter kassa's, op tv. Mam, je bent soms meedogenloos, en dat weet je best.'

Oudste Dochter (20), al vier jaar hevig worstelend met haar lijn en niet minder met haar zelfbeeld, zegt: 'Het was zogenaamd geen issue, maar toch ook weer wel. Als we theedronken en ik wilde nog een derde koekje, dan nam ik dat met schaamte. Of ik nam het niet, omdat jij erbij zat. Of ik snoepte stiekem op mijn kamer.' Maar of haar moeder het nou heel anders had moeten aanpakken, weet zij ook niet. 'Je wilt toch niet dat je kinderen dik worden, dat wil ik later ook niet.' Oudste Dochter zegt ook: 'Jij kan ook zo naar me kijken als ik in het weekend thuiskom. En dan quasi-achteloos vragen of ik aangekomen ben. Dat vind ik vréselijk. Ik wil niet dat je je ertegenaan bemoeit. Aan de andere kant vind ik het fijn als je me helpt als ik op dieet ben. Het is heel dubbel.'

Psychologe Doeschka Anschutz (29) is postdoc-onderzoeker aan de Universiteit van Amsterdam. Ze deed onderzoek naar de invloed van lijnende moeders op het zelfbeeld van hun kinderen in de basisschoolleeftijd. En die bleek evident: kinderen van moeders die vaak op dieet zijn gingen vaak zelf ook lijnen, ze aten hun broodtrommel niet leeg en sloegen maaltijden over. En kinderen die door hun moeders actief aangemoedigd werden om te lijnen, dachten vaak slecht over hun lichaam. Dat is zorgelijk, vindt Anschutz. 'Het is niet goed om kinderen bang te maken voor dik-zijn. Als dik wordt geassocieerd met slecht, kan dat leiden tot een laag zelfbeeld en zelfs tot depressies. Als moeder kun je beter niet te veel hardop klagen over je eigen lichaam. Ook niet over het lichaam van je kind. Dus niet zeggen, ook al bedoel je het nog zo goed: "Je krijgt te veel vetjes, daar moeten we wat aan doen."'

Lijnen is uit den boze, zegt Anschutz met klem. Wie lijnt wordt uiteindelijk alleen maar dikker, omdat je metabolisme verstoord raakt en je gaat jojoën. 'Je kunt bij kinderen beter de nadruk leggen op gezond gedrag. Samen een leuke sport uitzoeken. Regels instellen voor snoep en frisdrank. De uren achter de tv en spelcomputer beperken. Ik ben ervan

overtuigd dat je bij een gezonde leefstijl vanzelf weer op een normaal gewicht komt.'

Heb ik het als moeder fout gedaan? Dat is de vraag waar Marijke (55)
mee worstelt. Haar dochter Klaartje was het huis al uit en studeerde medicijnen in Amsterdam, toen ze op haar 22ste een eetstoornis ontwikkelde. Ze werd dunner en dunner. 'Eerst hadden we niks door, maar op een
gegeven moment konden we er niet meer omheen. Ze at alleen nog maar
sla op haar boterham en haar gewicht bleek tien kilo onder een gezond
BMI te zitten.' Op aandringen van haar ouders zocht Klaartje hulp bij
stichting Human Concern waar alle hulpverleners ervaringsprofessio-
nals zijn, therapeuten die zelf ook een eetstoornis hebben gehad. 'Zelf
was ik als kind te dik en werd daarmee geplaagd, vooral door mijn vader',
zegt Marijke. 'Toen ik in mijn puberteit dunner werd, vond ik dat zo fijn
dat ik me voornam nooit meer dik te worden. Sindsdien let ik goed op; ik
voel me ongelukkig als ik een paar kilo te zwaar ben. Dan ga ik op dieet.
Mijn dochters weten niet anders dan dat dat erbij hoort: op je gewicht
letten. Maar of Klaartje daardoor nou een eetstoornis heeft ontwikkeld?
Ik denk dat het eerder ligt aan haar perfectionisme, en aan die zware studie geneeskunde. Tijdens je coschappen moet je je zo bewijzen. Ze is sowieso onzeker. Dat lijnen: daar heeft ze controle over, dat kan ze goed.
Natuurlijk heb ik me vreselijk schuldig gevoeld. Ik ben pas op latere leeftijd pedagogiek gaan studeren en toen pas heb ik geleerd dat je kinderen
veel complimenten moet geven. Dat is iets wat ik niet van huis uit heb
meegekregen. Misschien heb ik ze wel te weinig geprezen. Misschien heb
ik ze niet genoeg aandacht gegeven in de tijd dat ik werkte en studeerde
en zij nog klein waren. Maar bij Human Concern zeggen ze: je moet niet
denken in termen van schuld. Klaartje moet leren om te gaan met zaken
waar ze moeite mee heeft. Ook mijn eigen therapeut roept steeds: "Marijke, het ligt niet aan de moeders."'

'Laten we niet te veel aan *mother bashing* doen', zegt ook Tatjana van
Strien. Al geeft ze toe: een moeder die zichzelf niks vindt of depressief
is, is een ramp voor haar kinderen. 'Maar wat dacht je van de invloed
van vaders op het zelfbeeld van hun dochters? Als een vader niet trots
is op zijn dochter, dan zal ze dat haarfijn aanvoelen.' Van Strien is psycholoog en universitair hoofddocent Lijnen en Overeten aan de Rad-

boud Universiteit van Nijmegen. Ze schreef het boek *Afvallen op maat*, waarin ze met harde bewijzen aantoont dat je van lijnen alleen maar dikker wordt. Net als haar collega Doeschka Anschutz is ze ervan overtuigd dat een gezonde leefstijl – gebalanceerd eten, veel bewegen – je vanzelf op het gewicht brengt dat bij je past. 'Als ouder moet je dan wel het goede voorbeeld geven.' Als werkende moeder met drie kinderen en zonder auto deed Van Strien alles op de fiets en omdat ze geen zin had in het gesjouw met zware flessen, was er nooit frisdrank in huis. 'We drinken water of thee, we hadden nooit snoep, alleen maar saaie koekjes zonder kraak of smaak. De tv stond op de gang, om passief televisiekijken zo ongezellig mogelijk te maken.' Van Strien lacht. 'Pas toen ze het huis uit waren heb ik een mooie breedbeeld gekocht en die in de woonkamer gezet.'

Een negatief zelfbeeld is een slecht begin van gewichtscontrole, zegt ook Van Strien. 'Als je jezelf lelijk en dik vindt, kan dat leiden tot emotioneel eetgedrag waardoor je weer dikker wordt. Voor je het weet zit je in een vicieuze cirkel.'

Maar hoe zorg je als ouder nou voor dat goede zelfbeeld? Dat is behoorlijk moeilijk, geeft ze toe. 'Je hoeft ze echt niet de hemel in te prijzen, je mag best eisen stellen. Maar zorg dat het kind ook genoeg complimenten krijgt.'

Troost je: het zijn niet alleen moeders en vaders die uiteindelijk het zelfbeeld van kinderen bepalen. De *peer group* – de leeftijdsgenoten aan wie het kind zich spiegelt – speelt minstens een even grote rol. En vlak de media niet uit, waarschuwen beide psychologen. Doeschka Anschutz doet er momenteel onderzoek naar en de eerste resultaten liegen er niet om. 'Zo'n programma als *Holland's Next Top Model*, dat zou verboden moeten worden, zeker voor jonge meiden. En als ze dan toch kijken, dan raad ik je aan ernaast te gaan zitten en erover te praten. Leg uit dat het onrealistisch is om zo mager te willen zijn als die modellen.'

Mijn dochters en ik keken jarenlang naar *Holland's Next Top Model*. Ook naar *America's Next Top Model* trouwens, met als boegbeeld de hevig jojoënde Tyra Banks. Elke keer zei ik braaf: 'Zo dun als Sylvia – of Kim of Tamara of Patricia – is echt niet normaal. Moet je zien, een kuil in plaats van een buik. En die dunne benen! Dat vinden mannen helemaal

niet mooi hoor.' Ze knikten, plichtmatig: ja hoor mam, dat weten we. Ondertussen ging het keuren en vergelijken door.

Ik kijk naar ze en zie twee mooie meiden. Met slanke lijven. Zo zien ze
dat trouwens niet zelf. Jongste Dochter durft al twee jaar niet op de weegschaal. Oudste Dochter heeft het nog over het moment dat ze een grotere
jeansmaat bleek te hebben dan ik. Logisch, zeg ik, je bent bijna een kop
groter. 'Ma-am,' zegt ze, 'snap dat nou, je wilt toch niet dikker zijn dan je
moeder!'

Ik denk aan mijn eigen moeder: haar leven lang in de weer met haar
lichaam. Ik die geen haar beter ben. Geen illusies over de dochters, dus.
Ik check het nog even bij Oudste Dochter: 'Wanneer zou jouw zelfbeeld
nou positiever zijn, denk je?' Ze hoeft er geen seconde over na te denken.
'Als ik slank zou zijn.'

HET
SPIJT
ME

MAMA ZEGT SORRY

DOOR SASKIA NOORT

Lieve kinderen,

Mede namens LINDA. schrijf ik deze brief aan jullie, kleine, verwende, lieftallige ettertjes, om jullie onze welgemeende excuses aan te bieden. Jawel, je leest het goed: namens alle mama's van Nederland, of in ieder geval namens alle mama's die LINDA. lezen en misschien ook wel papa's, zeg ik sorry. Nu vragen jullie je natuurlijk met jullie bijdehante hoofdjes af waarvoor ik jullie in godshemelsnaam onze excuses aanbied en dat kan ik helemaal begrijpen, zo slecht hebben jullie het niet. Jullie hebben het zelfs stukken beter dan wij het vroeger hadden, en onze ouders boden nooit hun excuses aan. Niet wanneer ze ons zonder eten naar bed hadden gestuurd, niet wanneer we een stevige pets voor de billen kregen en zeker niet wanneer Sinterklaas onze schoentjes had overgeslagen. We kregen ook zomaar ineens wildvreemde tantes op bezoek die plotsklaps twee weken kwamen oppassen terwijl ouderslief naar zonniger oorden vertrokken en als onze amandelen verwijderd werden, werden we daar niet reeds jaren van tevoren op voorbereid. Onze wiegjes stonden niet naast het echtelijk bed, oma's tepels werden niet te pas en te onpas te voorschijn gehaald om ons de mond te snoeren en onze billen kenden geen Pampers, maar wel potjes waarop ze vastgesnoerd werden. Daarentegen bezaten wíj doorgaans jonge moeders en moeten jullie het vaak doen met rimpelige, uitgeputte exemplaren en hadden wíj jeugdige, energieke vaders die als ze niet werkten altijd in waren voor een robbertje knokken, in tegenstelling tot jullie vader, die ook zomaar de vader van ons had kunnen zijn.

Nee, in vele opzichten is het kinderleven er stukken op vooruitgegaan, niet in de laatste plaats omdat jullie voor iedere vorm van wangedrag een excuus hebben. Het ligt nooit meer aan jullie, maar altijd aan ons of aan de defecten in jullie chemische huishouding die uiteindelijk ook weer aan ons liggen. We hebben een glaasje wijn te veel gedronken tijdens de zwangerschap, of pindakaas gegeten, zijn stiekem bang geweest of we wel geschikt waren voor het moederschap of hebben een keer ruziegemaakt met de aanstaande vader die zonder met ons te overleggen toch besloot fulltime te blijven werken, en hupsakee, de huilbaby is geboren.

Gelukkig voor jullie staat er dan een heel leger aan deskundigen klaar om jullie te bevrijden van ons levensbedreigende gestuntel en ons te vertellen dat jullie onveilig gehecht zijn, te weinig moedermelk hebben gekregen, ADHD hebben en dyslectisch zijn. Dat is een hele opluchting. Voor ADHD bestaan er pilletjes die bij ons ook wonderen doen en dyslectische kinderen sleur je met gemak door het vwo dankzij al die extra tijd en luistertoetsen. En mocht dit allemaal niet het geval zijn, kunnen we nog naar Supernanny die ons publiekelijk leert met jullie om te gaan. Er kan dus nog maar weinig mislukken in jullie leventje, behalve dan misschien het huwelijk van je ouders, maar ook daarin ben je tegenwoordig niet meer alleen. Een op de drie huwelijken strandt, om nog maar te zwijgen over de samenwonenden en ook voor kinderen van gescheiden ouders staat dat deskundigenleger weer klaar. Bovendien heb je met gescheiden ouders weer een nieuwe reeks aan prachtexcuses voor je driftbuien en je slechte rapport.

Ik hoor jullie zuchten. Waar blijven die excuses, denken jullie. Het is natuurlijk ook niet niks, zo veel woorden en zinnen achter elkaar doorworstelen, dat zijn jullie niet gewend. Lezen, dat is niet meer van deze tijd. LINDA. had beter kunnen besluiten haar excuses te maken via YouTube, Facebook of Twitter, maar ja, daar kunnen wij oudjes nu eenmaal niet zo goed mee overweg. Daarom weten we ook bij God niet waar jullie allemaal mee bezig zijn en ook dat is natuurlijk weer onze eigen schuld. We schijnen te lui en te egocentrisch te zijn om ons te verdiepen in jullie internetgedrag. We planten jullie voor de pc en of jullie nou je prille borsten aan een pedo laten zien of kijken hoe je een molotovcocktail moet bouwen, het zal ons worst wezen volgens de media. De media, ja de media, zij weten heel goed hoe we jullie moeten opvoeden, evenals de politiek. Als het aan hen ligt, vertoeven wij vanaf een jaar voor de bevruchting tot twee jaar na de bevalling in quarantaine, aan een infuus van foliumzuur, groene thee en visolie, met een zuurstofmasker op, behalve tijdens de bevalling, dat moeten we thuis maar doen, zonder infusen en dergelijke, want bevallen hoort pijn te doen, anders is het kind meteen al mislukt. Daarna snel weer terug de quarantaine in, aan het kolfapparaat, hoewel er ook gewerkt dient te worden, en zo snel mogelijk weer gesekst ter voorkoming van die vermaledijde scheiding. Niet zomaar sex, nee, alles d'rop en d'raan-sex, twaalf uur durende tantrasessies bij voorkeur, zoogbeha's van Marlies Dekkers moeten er komen, geen moeite mag te veel zijn om iedereen blij, gezond en gelukkig te houden. Als de spruit eindelijk naar school gaat, dan móéten we meer gaan werken, maar mogen we jullie eigenlijk niet naar de naschoolse opvang doen en ook tussen de middag overblijven is zielig. Eigen schuld dus als jullie later rotjes in de brievenbus van de buren stoppen of als boytoy in lingerie over de kermis zwalken. Hadden we maar niet moeten gaan werken, of juist wel. Wat we ook verkiezen te doen, het is van groot belang dat we tussendoor dus jullie internetgedrag van minuut tot minuut bijhouden, evenals jullie belgedrag, spaargedrag, speelgedrag, slaapgedrag, eetgedrag, leergedrag, sportgedrag en wat voor soorten gedragingen jullie allemaal tentoonspreiden, zolang we jullie privacy maar niet schenden, want daar komen weer trauma's van. Tegelijkertijd dienen we ons eigen gedrag goed onder de loep te houden. *Monkey see is monkey do.* Noemen we onze echtgenoot een keer slappe zak hooi, dan is de kans groot dat jullie dit de volgende keer tegen de mentor zeggen en wee de ouder die in het bijzijn van jullie een sigaret durft op te steken of zichzelf een borrel inschenkt. Wij ouders dienen opgeruimd en vrolijk bij elkaar te blijven al haten we elkaar en dit allemaal zonder gebruik van verdovende middelen.

Ooh, denken jullie inmiddels, we begrijpen het al, zij gaat zo haar excuses aanbieden voor het feit dat zij er een potje van maken, van die opvoeding, maar dat ga ik niet doen want ik vind het wel meevallen met dat potje. Wat de supernanny's ons op televisie ook voorschotelen aan pedagogisch falen, jullie Nederlandse kinderen zijn de gelukkigste kinderen ter wereld! Ondanks ons gescheid en gepruts! Het is ons klaarblijkelijk gelukt een generatie op de wereld te zetten waarvan bijna niemand zich eenzaam, onbegrepen en verwaarloosd voelt, die ruim over geld beschikt en zegt een goede band met de ouders te hebben. Ik zou zeggen, applausje voor onszelf en een lange neus naar overheid en media. We doen het goed, echt, we hoeven ons nergens schuldig over te voelen, dus lees ze gewoon niet, die pamfletten van kinderlozen en kijk niet meer naar het broddelwerk van anderen op televisie.

Dus waarom excuses, lieve kinderen? Waarvoor moeten wij ouders sorry zeggen? Waarvan kunnen wij nu nog de schuld krijgen? Wel, stelletje schattige prinsen en prinsesjes, namens LINDA. en mezelf bied ik jullie onze verontschuldigingen aan voor het feit dat wij jullie altijd als excuus gebruiken. Vanaf de dag dat we jullie gebaard hebben, verschuilen we ons achter jullie, want jullie zijn prachtsmoezen voor alles waar wij geen zin meer in hebben. Werken bijvoorbeeld. Wij kunnen een fantastische studie volgen, fijn op kosten van de staat en opa en oma, een heerlijke studietijd hebben met veel feesten en kotsen en gebral, op de studentenvereniging een aanstaande CEO aan de haak slaan en wat toffe stages, een parttime baantje en een wereldreisje later, na het droomhuwelijk, dient het excuus om niets te doen met de opgedane kennis en ervaring zich al aan. We hoeven het niet eens uit te leggen, iedereen begrijpt het. Ons kindje, daar hebben we toch alles voor over, zelfs onze carrière.

En daarna volgen al die andere dingen waar we geen zin in hebben. Zoals sex. Geen zin? Gebruik het kind als ultiem excuus. Blijf voeden tot het einde der tijden, neem het tussen jullie in, en als dat niet meer opgaat, maak een tweede. En een derde. En een vierde. Sloop dat lichaam opdat niemand er meer naar omkijkt. Telkens als de jongste naar school gaat en er gewerkt en gesekst kan worden, hupsakee, nieuwe smoes. Om niet te hoeven afvallen. Om niet naar feestjes te hoeven. Om halverwege een dinertje omvallend van vermoeidheid naar huis te kunnen. Om altijd over jezelf, je lichaam en over alles wat het op de wereld heeft gezet te kunnen praten. Om, lekker ruim, in zo'n achterlijke jeep rond te kunnen rijden. Om, lekker handig, een bakfiets van De Fietswinkel te kunnen kopen. Om met een woedend gezicht door de stad te fietsen. Om het zwaar te hebben. Om jaloers te zijn op andere vrouwen die wel carrière maken, naar de kapper gaan en sex hebben. Om altijd macaroni met kaas te eten. Om in de bijstand te blijven zitten. Om op Crocks te lopen. Om te laat te komen en te vroeg weer weg te gaan. Om tien jaar in dezelfde grauwe zwangerschapsslip te lopen. Om naar All Inclusive-oorden te gaan. Om torenhoge alimentatie te vragen. Om getrouwd te blijven.

Wie volstrekt geen enkele behoefte heeft aan een eigen leven, vindt in het baren haar perfecte levensdoel, maar jullie kinderen hebben daar toch niet om gevraagd? Willen jullie wel een moeder (of vader, maar die zijn dermate sterk in de minderheid dat ik hen even buiten beschouwing laat) die jaren van haar leven opoffert ten behoeve van jullie zielenheil? Die later zegt: 'Voor jullie heb ik het allemaal gedaan. Zonder jullie was ik nu arts geweest, of advocaat of kunsthistoricus. Voor jullie ben ik bij papa gebleven, al wilde ik hem al niet meer na jullie geboorte en door jullie heb ik al jaren geen sex en omdat papa mij heeft verlaten voor die snol zit ik nu met een pensioengat zo groot als de Ngorongoro-krater.'

Willen jullie leven met de wetenschap dat jullie de enige levensvervulling van je moeder zijn? Dat zij alleen gelukkig is als jullie dat zijn, dat haar leven uitsluitend geslaagd is wanneer jullie slagen? Ik denk het niet.

Dus bij deze nogmaals onze excuses. Vanaf nu zullen wij proberen verantwoordelijk te zijn voor ons eigen levensgeluk. Zullen wij ons realiseren dat jullie ons nooit gevraagd hebben ons deel van leven op te geven, evenmin als onze mannen. Wij gaan de tijd nemen voor onszelf, voor onze harten, onze breinen en onze lijven, opdat wij jullie – en vooral jullie, dochters! – een goed voorbeeld kunnen geven van hoe vol, bevredigend en veelbetekenend een vrouwenleven kan zijn wanneer je jezelf net zo serieus neemt als je nazaten. Want *monkey see is monkey do*.